LAS PEQUEÑAS MASCOTAS

PARA BETTY Y ELIZABETH

Editor: Jesús Domingo
Coordinación editorial: Paloma González
Revisión técnica: Dr. José Capacés Sala

Publicado originalmente en inglés por HarperCollins*Publishers* Ltd
con el título *Collins Small Pet Handbook*

Ilustraciones de Al Rockall, Rolando Ugolini
Fotografías de Animal Ark y Rolando Ugolini
Frank Lane Picture Agency: pp. 8, 17, 80, 82, 84, 91, 93, 94
David Dalton: pp. 66, 70

ISBN 84-88893-52-3

Los editores agradecen a: Scampers Petcare Superstore, Soham, Nr Ely, Cambs Nicola y Thomas Atkinson, su ayuda en la producción de este libro.

Las Pequeñas mascotas

David Taylor

EDITORIAL
EL DRAC

El autor

David Taylor, miembro de la Veterinarian Zoological Society, de la Royal College Veterinary Surgeons y de la Zoological Society, es un conocido cirujano veterinario, famoso también por sus apariciones en radio y televisión y por sus libros, de los que ha escrito más de treinta, incluidos los seis tomos de su autobiografía, algunos de los cuales sirvieron de base a la serie de televisión de la BBC, *One by One*. Fue fundador del International Zoo Veterinary Group, y cuenta con pacientes exóticos en todo el mundo, desde cocodrilos a ballenas asesinas y pandas gigantes. Vive en Richmond, Surrey, en el sur de Inglaterra, con su esposa, cuatro gatos y un hámster llamado "Fudge".

Contenido

Introducción

Dicen que el buen perfume, en frascos pequeños. Esto es bien cierto para las mascotas pequeñas que son ideales para los niños que empiezan a descubrir las alegrías y responsabilidades de cuidar de un animalito, porque son relativamente baratas de comprar y de mantener. Pero también son un entretenimiento fascinante para muchos adultos. Se calcula que en Gran Bretaña existen alrededor de 1,35 millones de conejos, 730.000 hámsters y 610.000 cobayas, así como decenas de miles de ratas, ratones y jerbos en domesticidad. Lo que es cierto es que los conejos son la tercera mascota que más llevan al veterinario.

Aunque estos pequeños mamíferos suelen costar menos que perros y gatos, por no hablar de ponies o caballos, merecen y exigen un cuidado y atención no menores por parte de sus propietarios para disfrutar de una vida larga y feliz. Estas curiosas criaturas no deben considerarse un juguete de chiquillos, ni mascotas de rebajas, de segunda categoría, y menos de "usar y tirar". Estos pequeños animales, de razas y colores muy variados, adecuadamente alojados, tratados y atendidos con afecto e interés, ofrecerán una fascinación, diversión y amistad sin límites.

Todos ellos tienen una constitución y formas tan complejas como los perros, los caballos, o, por qué no, los humanos. Su anatomía y fisiología delicadas e intrincadas, perfectamente adaptadas a un modo de vida particular en este planeta, hacen que, en comparación, los aparatos diseñados por el hombre, tan sofisticados como puedan ser los ordenadores y los cohetes espaciales, nos parezcan prehistóricos. Además, desde un punto de vista práctico, son más sanos en una casa que, por ejemplo, perros o gatos. Los conejos y ratas, y demás mascotas pequeñas, en su forma domesticada, transmiten menos enfermedades a sus dueños que las especies mayores.

Para disfrutar al máximo de las mascotas, hay que hacer un pequeño esfuerzo por conocer lo que se debe y no se debe hacer. No es difícil, como te descubrirá este libro, y cuanto más aprendas sobre ellas, más observes a tus mascotas y trabajes con ellas, más alegrías y placer te darán estos animalitos tan especiales.

CAPÍTULO 1

Conejos

El nombre español de "conejo" procede del latín *cuniculus*.

Evolución del conejo

Los conejos no son roedores como las ratas, los ratones y otras mascotas que figuran en este libro, sino que pertenecen a otro grupo de mamíferos llamados lagomorfos. Estas criaturas se originaron hace unos 55 millones de años y se desarrollaron aparte de los roedores. Una diferencia fundamental entre roedores y lagomorfos es que los primeros tienen un solo par de incisivos superiores, los últimos tienen dos pares. Modernos análisis de sangre demuestran que los lagomorfos están más relacionados con los

Liebres "boxeando" en la época de cortejo.

animales de pezuña que con los roedores. Existen tres grupos principales de lagomorfos:

- Conejos
- Liebres
- Pikas

Este último grupo, de los pikas, es el menos conocido. Son animales pequeños, de orejas redondeadas, patas cortas y prácticamente sin rabo. Las únicas especies europeas viven en Rusia. Son criaturas robustas de las montañas y al pika tibetano se le puede encontrar tomando el sol en el Himalaya, a altitudes superiores a los 5.500 m y a temperaturas de 15 ºC bajo cero o menos. Las principales diferencias entre conejos y liebres se exponen en la página siguiente.

Los conejos en Gran Bretaña

Se cree que los conejos fueron introducidos en Gran Bretaña no antes de 1066, cuando la invasión de los normandos. Trajeron con ellos "conejeros", hombres encargados del cuidado de conejos destinados al estómago de los invasores.

Ahora bien, existen evidencias de que algunos conejos llegaron a Gran Bretaña antes de los normados. Se encuentran restos fosilizados anteriores a la tercera Era Glacial (hace 22.000 años). Pero es seguro que no sobrevivieron a la glaciación. Al retirarse los hielos, Europa y el Norte de África se repoblaron con conejos procedentes de la Península Ibérica. Algunos científicos creen que algunos conejos pudieron cruzar el puente de tierra que unía Francia con Inglaterra hacia 7.000-6.000 a.C.; Inglaterra estuvo unida al continente hasta aproximadamente el año 5.000 a.C. También es posible que los romanos, buenos gastrónomos que habían domesticado conejos hacia el siglo I a.C. y los mantenían en cercados especiales llamados *leporia*, hubieran introducido algunos de estos animales.

Los conejos no tardaron en convertirse en un bocado de elección en las mesas medievales y hubo gran demanda de sus pieles y cueros. Los embriones de conejos se consideraban que "no eran carne" y se podían

Conejos y liebres

	Conejos	Liebres
Al nacer	Nacen sin pelo, ciegos y desvalidos.	Bien cubiertas de pelo y se desplazan a saltos al poco de nacer.
Naturaleza	Generalmente gregarios.	Generalmente solitarias.
Hábitat	Normalmente madrigueras.	Normalmente en el suelo.
Carrera	Corta, sin resistencia.	Excelentes corredores, buena resistencia.

El libro *Watership Down* contribuyó, por su éxito, a aumentar el interés por los conejos como mascotas.

comer en días de ayuno. Hacia el siglo XIV, el conejo se apreciaba tanto como el cochinillo. Al evolucionar la agricultura y disminuir los predadores naturales como halcones y carnívoros salvajes, los conejos empezaron a convertirse en un problema creciente para las cosechas. Se cazaron con trampas, lazos y hurones para aprovechar su carne y su piel, aún muy apreciadas, pero como tres conejos comen en un día tanto como una oveja, las pérdidas en la agricultura eran ya notables en el siglo XIX.

El método más popular de controlar la población de conejos ha sido siempre meter hurones por las madrigueras para cazarlos, pero se probaron los métodos más extraños para librar a los sembrados de sus huéspedes incontrolados. La forma más curiosa es la que utilizaban los agricultores de la Isla de Wight, fijando unas velas en el dorso de cangrejos que introducían en las madrigueras, con intención de aterrorizar a sus habitantes y expulsarlos de allí. Cangrejos y langostas se utilizaban también en Devon, donde los llamaban "hurones de mar". Y mientras, en los Chilterns, los gitanos se jactaban de obtener excelentes resultados con sapos "huroneros".

Especies de conejos

Los conejos salvajes se encuentran en la mayoría de las tierras, pero no en todas. No los hay en Escandinavia, en los Balcanes, en Italia y en Europa Oriental. Existen en todo el mundo veinticinco especies de conejos de campo, que viven en hábitats muy variados, desde las densas vegetaciones de las laderas de volcanes (conejos de volcán), hasta marismas y pantanos (conejos de marismas y conejos de pantanos).

Sólo existe una especie de conejo del Viejo Mundo: el *Oryctolagus*. Cubre gran parte de Europa y del Norte de África, fue introducido en Australia y Nueva Zelanda y otros lugares por los pobladores y de él proceden todas las razas de conejos domésticos. Entre las otras veinticuatro especies se encuentra el Pentalagus de color oscuro, que

Estos preciosos animales son conejos Ingleses, una raza que se originó en el siglo XIX.

Nombres de los conejos

La gente del campo en Gran Bretaña tenía nombres muy curiosos para distintas clases de conejos salvajes.

- "Warreners" o "de conejera" eran los que vivían en granjas.
- "Parkers" o "de campo" eran los que se encontraban en campo abierto.
- "Erizos" o "Hedgehogs" eran los de zonas de bosque cerrado, también llamados "sin domicilio fijo".
- "Amorosos" o "Sweetheart" eran los que se criaban en cautividad.

En los siglos XVIII y XIX solían tenerlos en pozos y los alimentaban con desperdicios vegetales. Poco a poco se desarrolló la cría selectiva de conejos y en 1880 se inició la moda de tenerlos como mascotas.

se encuentra sólo en las Islas Ryukyu de Japón y el increíblemente raro Nesolagus de Sumatra. Este pequeño conejo de orejas cortas y capa moteada puede haberse extinguido, ya que solamente se han encontrado trece ejemplares.

Conejos europeos

La única especie de conejo salvaje europeo se encuentra en una variedad de tipos naturales distintos. Son raros los albinos, pero una variedad "holandesa" de hocico y banda torácica blancos es bastante frecuente. Existe en las islas galesas de Skomer y Skokholm un tipo de "angora" de pelo largo, y otros melanísticos (negros) que constituyen casi el cien por cien de las comunidades de las islas Scilly y el islote Samson británicos.

Mediante cruces y selecciones de animales más rápidos y más prolíficos, el hombre consiguió más de cincuenta razas y unas ochenta variedades del moderno conejo de fantasía. Se puede elegir entre una amplia gama de tamaños, colores, diseños y texturas. Con las elegantes variedades de conejos domesticados hoy disponibles, estamos muy lejos de *Watership Down*.

Conejos domésticos

Existen cuatro grupos principales de conejos domésticos:

Pelo normal

Incluyen la capa Chinchilla, Habana, Nueva Zelanda, Cibelina, Gris Perla, Zorro, Lila y Chinchilla Gigante. Algunos de Pelo Normal, como el Ardilla, Glavcot y Perla de Hal, están extinguidos. Algunas razas presentan una variedad de colores elegantes.

Rex

Estas razas tienen una capa afelpada, de unos 1,25 cm de largo y suave como terciopelo. Incluyen Self, Shaded y Tan. Igualmente existen numerosas variedades de color.

Satinados

Tienen el pelo sedoso por estar aplastado, con poco o ningún centro hueco. Satinadas se presentan en un amplio espectro de color con

Existen muchas razas de conejos, y los hay de gran variedad de colores y tamaños, como los Holandeses (arriba) y los antiguos Ingleses (abajo), que son de los más apreciados.

El conejo en la Biblia

El conejo que se menciona en la Biblia no corresponde al que conocemos.
Muchos diccionarios y eruditos bíblicos confunden ambas razas, pero los que cita la Biblia son "una raza débil que, sin embargo, construye sus casas en la roca" (Proverbios) y se refieren a una criatura semejante a los roedores, pero totalmente distinta, llamada Hyrax Sirio que vive en Palestina y que es, en realidad, el pariente vivo más próximo al elefante.

nombres como Plata, Zorro, del Himalaya, Marfil Lila, Marta Cibelina, Ópalo y Perla Ahumado.

■ Razas de fantasía

Incluyen la de Angora, la Liebre Belga, la Holandesa, Inglesa, Urraca Arlequín, del Himalaya, Lop, Enana de los Países Bajos, Polaca, Plata y Tan.
Nota: existen razas muy conocidas como la Holandesa, la preferida de los niños, y auténticas rarezas como el Orange-Buff Shaded Rex (de tonalidad naranja) y el Marten Rex Gris Perla. Ningún conejo puede ser humilde con tales apellidos.

■ Peso

El peso de los lagomorfos varía de 100 gramos para los pikas más pequeños hasta los cerca de 4,6 kg para las liebres de campo más grandes. Las razas caseras de conejo pueden superar los 5,5 y 6,3 kg, por lo general en Flamencos Gigantes adultos; el récord está en los 11,3 kg de un Flamenco Gigante y de un Estrella de Norfolk. Hay que reconocer, sin embargo, que los conejos no utilizan la comida con eficiencia. Extraen de la comida sólo un tercio de la energía que obtienen las ovejas o las vacas. Pero son más resistentes a la humedad que las ovejas y han sobrevivido en ambientes húmedos y helados que han acabado con rebaños de ovejas.

■ Voz

Los conejos, por lo general, no son criaturas ruidosas. No suelen chillar a no ser que se lastimen o se asusten, aunque algunos emiten pequeños gruñidos de placer. Una especie la "liebre" roja de Sudáfrica (*Pronolagus*), emite un grito agudo de aviso cuando amenaza un peligro.

■ Velocidad

Contrariamente a la liebre, que puede correr a 80 km/h, el conejo no es un corredor de fondo. Huye corriendo y busca el cobijo de la madriguera en lugar de agotar a sus perseguidores a la carrera. Sí es, sin

embargo, un experto nadador, y los conejos de marismas y pantanos (especie *Sylvilagus)* de ambas Américas y de las Antillas se meten en el agua encantados. Curiosamente, también son buenos trepadores y en las Hébridas pueden vivir en los tejados de bálago de las casas. El pie del conejo tiene pelo entre las almohadillas, lo que da mayor agarre.

■ Vista

Los conejos tienen buena vista, pero no distinguen los colores. Lo más llamativo es su campo de visión. Sus ojos prominentes a ambos lados de la cabeza les permiten cubrir un campo de más de 300º —literalmente ven detrás de ellos—. Pueden mover los ojos al mismo tiempo o por separado. Debido a la posición de los ojos, no tienen visión estereoscópica, como los hombres o los simios, por ejemplo, pero para los animales depredados la visión estereoscópica es menos importante que poder ver a su alrededor.

Otras criaturas que suelen desempeñar el papel de víctimas inocentes, como por ejemplo los ratones, las musarañas y las perdices, también tienen los ojos colocados lateralmente como el conejo. El problema es que la zona de visión, sobre todo la más próxima, a unos 2 m del hocico, es peor en conejos y liebres. Para salvar la dificultad, tienen que ladear ligeramente la cabeza para que cada ojo pueda barrer por turno la zona conflictiva.

La posición de los ojos explica por qué, cuando una liebre se ve perseguida por un perro, levanta la cabeza y echa las orejas hacia atrás: así ve al perro por detrás. Pero tiene esa zona ciega por delante y en plena huida no hay tiempo para ladear la cabeza a derecha o izquierda. Por eso a veces las liebres se precipitan por un acantilado o van derechas a las piernas de un cazador.

No existe detrás de la retina de un conejo un espejo reluciente y reflectante como en un cazador, como el gato. El color rojo de los ojos de un albino se debe simplemente a la capa de vasos sanguíneos detrás de la retina. Pero también se ve en los conejos un curioso brillo apagado; no entienden los científicos cómo se produce. La retina, la "película" del ojo sensible a la luz, está mucho más organizada y es más compleja en los conejos que en el hombre y en otros primates. Mientras que el conejo selecciona e interpreta en la propia retina gran parte de la información visual que le llega al ojo, las criaturas superiores, como los primates, relegan esas funciones a las zonas más sofisticadas del cerebro que controlan la visión. El pobre conejo necesita su pequeño cerebro para otras cosas.

Olfato

Los conejos tienen un olfato excelente; tan bueno que encuentran las esquivas trufas sólo por el olor. Probablemente el incesante movimiento del hocico de conejos y liebres tenga que ver con el

Olor

Es muy importante para los conejos. El macho utiliza los olores para marcar su territorio y sus posesiones. Lo hace rociando su orina (con notable precisión y alcance) o transfiriendo una sustancia especial de las glándulas que posee bajo la barbilla a sus patas delanteras y luego pisando por las líneas de demarcación o frotándolas sobre las hembras o las crías que le pertenecen. Cuando el conejo se pasa las patas por la barbilla no es que se rasque, es que va a marcar sus posesiones de macho.

olfato, pero puede ser una función sensorial adicional que obtenga información del aire. Bajo los pliegues de la piel, delante de las fosas nasales, hay dos almohadillas de piel sin pelo, ovaladas, cubiertas de granillos y arruguitas. ¿Qué es lo que detectan? ¿Cómo funcionan? Aún no lo sabemos. Los conejos no dan olor en absoluto. Los gazapos carecen de todo olor, lo cual es fundamental en un mundo de predadores con buen olfato. Un zorro, que puede localizar huevos enterrados a 10 cm bajo tierra desde una distancia de 2,7 m, no detecta conejos recién nacidos enterrados en la arena por su madre que ha ido a buscar comida.

■ Oído y gusto

Los conejos nacen equipados con otros sentidos muy desarrollados. El oído es de primera clase, gracias a las orejas largas y móviles, que pueden girar y orientarse para captar sonidos débiles en el aire. Como corresponde a un gastrónomo vegetariano, el conejo disfruta de un fino sentido del gusto. Su boca posee 17.000 papilas gustativas frente a las 10.000 del hombre y sólo 400 en los loros, y apenas 30-60 en las palomas.

■ Dientes y digestión

Los dientes del conejo no tienen nada que ver con los nuestros o los del perro o el gato. Le siguen creciendo durante toda la vida, emergiendo de las encías, y hay que desgastarlos masticando para mantenerlos en el tamaño adecuado.

El intestino del conejo es notable por la presencia de un intestino grueso bien desarrollado en el que las bacterias digestivas actúan sobre

Tacto

Como otros animales con bigotes, el conejo utiliza esa especie de antenas sensibles por la noche. Los bigotes también le sirven para tantear las paredes de sus túneles oscuros y el tacto de su madriguera lo registra en la memoria cinestésica (del tacto) de su cerebro. Si se pone al conejo en una madriguera extraña, salta la alarma en su banco de memoria programada y le entra el pánico. Tan desagradable le resulta a un conejo meterse en una madriguera ajena que buscará refugio donde sea (matorrales, cañaveral, etc.) incluso con un cazador persiguiéndole, antes que meterse en otra madriguera que tenga al paso.

los alimentos vegetales fibrosos. Esa digestión microbiana es parecida a la que tiene lugar en los estómagos de los rumiantes, como las vacas, y cuando las bacterias han actuado, el contenido del intestino es mucho más rico en alimento útil. Desgraciadamente, gran cantidad de esa comida digerida potencialmente aprovechable, sale del cuerpo con los excrementos. El conejo, que es muy listo y sabe aprovecharlo todo, se come esos excrementos y aprovecha las vitaminas y otros nutrientes que ha estado a punto de perder. Ese proceso de comerse sus excrementos se llama "refección". Solamente se aplica a las deposiciones más blandas, de color claro, que el conejo de campo suele depositar en la madriguera cuando está descansando. Los otros

excrementos más oscuros y secos los elimina fuera de la madriguera y, como contienen muchos menos nutrientes, no se los come.

Los dos tipos de excrementos se reconocen fácilmente en los conejos domésticos, aunque algunos animales se apresuran a comérselos y no da tiempo a verlos. Conejos y liebres, naturalmente, no son rumiantes como las vacas, ovejas, ciervos y antílopes; es decir que no mastican comida regurgitada.

Pelo

Todos los conejos nacen con una excelente capa de pelo, que se compone en muchas razas de pelos largos por encima y más finos en la capa inferior. Suelen mudar el pelo una vez al año, empezando por la parte delantera de los hombros, los flancos y por último la tripa. Los conejos Rex carecen de pelos de "guarda" pero los de Angora los tienen espléndidamente largos.

Color de pelo y esperanza de vida

Algunos conejos domésticos producen diferentes colores de capa, según la temperatura a la que se mantengan. Los del Himalaya, por ejemplo, son totalmente blancos si viven a más de 28 ºC. A temperaturas más

Lops blancos con capa de pelo suave y pelos de "guarda" largos.

bajas presentan pies negros, las puntas de las orejas negras y bandas torácicas negras. Las temperaturas más bajas estimulan, por alguna razón, la producción de células con pigmentación negra en la piel cuando crece el pelo. El conejo suele vivir de seis a ocho años.

Este conejo Antiguo Inglés, tiene una capa muy peculiar.

CAPÍTULO 2

Roedores

Aparte del conejo, el resto de las mascotas de este libro son roedores. Los roedores, que se caracterizan por tener un par de incisivos superiores y un par de incisivos inferiores diseñados para roer, son los mamíferos más numerosos (el cincuenta por ciento de todas las especies de mamíferos pertenecen a la Orden de *Rodentia*).

■ Tamaño

Su tamaño varía desde el ratón de las cosechas europeo, que puede pesar tan sólo 4,2 gramos, hasta el capibara de Sudamérica que eleva la balanza hasta los 30-50 kg. En Uruguay se han descubierto roedores fósiles tan grandes como jabalíes y con cabezas del tamaño de las de un toro.

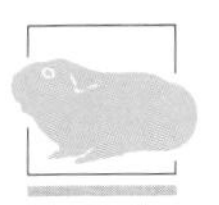

Cobayas (o conejillos de Indias)

Todas estas pequeñas mascotas están equipadas, como hemos mencionado, de incisivos cortantes, y el hámster, si se le provoca o maltrata, puede dar un mordisco doloroso. Pero ninguno es tan bueno y paciente como nuestro siguiente animalito, la cobaya, también llamado conejillo de Indias.

¿De dónde le viene este nombre? Es en realidad originaria de América del Sur, donde aún se encuentran sus parientes en Perú. Algunas cobayas viven en las montañas, a altitudes considerables. La escasez de carne en los Andes llevó a los nativos preincaicos a domesticar las cobayas. Durante siglos fueron el único animal domesticado de Perú, y también se utilizaba para ofrecerlo en sacrificio a los dioses. Las cobayas empezaron a extenderse más allá del imperio Inca siguiendo las conquistas españolas de mediados del siglo XVI, y llegaron a Europa a través de África Occidental (quizá por Guinea, de ahí su nombre inglés de "cerdo de Guinea") en el siglo XVII, aunque es

La cobaya Inglesa es la variedad más popular.

En estado salvaje

Cualquiera que sea el origen de su nombre, estos animales son admirables. En estado libre, viven apaciblemente en madrigueras, salen a corretear un poco de día y otro poco de noche, sin llegar a ser ni estrictamente diurnos ni estrictamente nocturnos, siguen una dieta exclusivamente vegetariana y conversan unos con otros emitiendo una serie de gruñidos y de pequeños chillidos.

posible que el término Guinea no tenga ningún significado geográfico: en los siglos XVII y XVIII se le daba a cualquier cosa "exótica" o "extraña".

Variedades

Existen tres variedades principales de cobayas domésticas:

- La Inglesa (la más común)
- La Abisinia
- La Peruana (la menos frecuente)

- La **variedad Inglesa** tiene el pelo corto y suele ser de un solo color (crema, negro, blanco, agutí, etc.) o de una mezcla de dos colores (bicolor) o de tres (tricolor). Los dibujos de los colores son parecidos a los de los conejos y reciben los mismos nombres (p. ej. del Himalaya, Holandés, etc.).
- Los **Abisinios** también tienen el pelo corto, pero más áspero y con rizos y rosetones. Esta variedad también se presenta en muchos colores.
- Los **Peruanos** tienen el pelo largo (hasta 2 cm) e igualmente se presentan en varios colores.

Vista y esperanza de vida

Contrariamente a los hámsters y a la mayoría de los roedores, las cobayas tienen cierto grado de visión de los colores. Viven por término medio de cuatro a ocho años.

Dientes para roer y masticar

Las cobayas son roedores típicos. Tienen los cuatro incisivos característicos en bisel, que siguen creciendo durante toda la vida del animal. Cuando roen, los incisivos inferiores realizan un movimiento de delante atrás contra los incisivos superiores. Mientras, los dientes posteriores, o molares, no chocan, incluso las mejillas se cierran detrás de los incisivos, cortando el paso hacia las muelas. Este mecanismo permite al animal roer sin tragar la comida roída y ahorra desgaste a las muelas. Cuando la cobaya decide pasar de roer a masticar, desplaza la mandíbula inferior hacia atrás, los incisivos inferiores se colocan detrás de los superiores y las muelas se ponen en contacto para masticar la comida antes de tragarla. Todo ese proceso está controlado por una compleja serie de músculos.

Digestión

Al igual que los demás roedores, los conejillos de Indias poseen el ciego largo, un callejón sin salida en donde se unen los intestinos delgado y grueso, donde se retiene la materia vegetal (que suele contener mucha celulosa de difícil destrucción) para proceder a su total digestión.

Hámsters

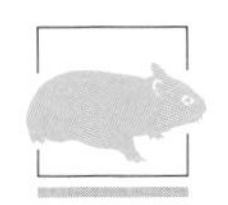

Estos aguerridos roedores del Viejo Mundo incluyen especies tan diminutas como el hámster Chino y el hámster Europeo, o de tripa negra, así como el hámster dorado, el que con más frecuencia se encuentra en las tiendas de mascotas. En estado salvaje, estos animales solitarios viven en madrigueras y se alimentan de frutas, semillas y plantas. Algunas especies comen insectos y otras criaturas pequeñas. Todos los hámsters poseen abazones, o bolsas en las mejillas, en donde almacenan comida. Su nombre procede de la palabra alemana que significa "acaparador".

■ Color, peso y vista

Gracias a la cría selectiva, se han producido más de treinta variedades de color del hámster dorado. Incluyen crema, canela, blanco sepia,

El hámster dorado

Al hámster dorado se le llama a veces hámster de Siria, aunque la especie no se limita a ese país sino que es originaria de las estepas de Asia Menor y de los Balcanes. Todos los hámsters que existen hoy en cautividad descienden de una sola familia de hámsters dorados que apresó en Siria el Dr. Aharoni en 1932. Los llevó a la Universidad Hebrea de Jerusalén y se vio que se criaban bien. La familia consistía en una hembra y siete pequeños. Cuatro escaparon y un macho mató a una hembra. Quedaron un macho y dos hembras. Esos tres animales son el origen ancestral de la casi totalidad de los hámsters dorados que han pasado por los laboratorios o los dormitorios de los niños del mundo, pese a una posterior introducción de ejemplares salvajes en 1971. Se reprodujeron bien y los primeros se exportaron a Estados Unidos en 1938. ¡Y luego hablan de los peligros de la endogamia!

miel, azul plata y dorado oscuro, normal y claro. Pueden presentar franjas. También los hay píos, en mosaico, satinados y carey. Pueden tener los ojos negros, rojos o de color rubí.

El hámster dorado básico es de color rojizo oscuro, con vientre blanco, mide 15-20 cm de largo y pesa de 85 a 130 g. No distingue los colores y lo ve todo en blanco y negro.

■ Desarrollo y actividad

Anatómicamente, los hámsters siguen un diseño básicamente igual al del conejo o al del ratón. Biológicamente, lo más destacable de ellos es la velocidad asombrosa a la que se desarrollan. Un hámster tarda sólo sesenta días en pasar de ser una célula embrionaria en el útero de su madre, a convertirse a su vez en progenitor.

Los hámsters son sobre todo activos de noche, especialmente de 8 a 11 de la noche, y si se invierten artificialmente los periodos de luz y de oscuridad, adaptan su actividad a los momentos en que la luz es más baja. Durante su periodo "activo", suelen recorrer entre 11 y 21 km. En cautividad, emplean su energía en tratar de escapar, y las hembras en celo suelen mostrar un ingenioso empeño en ausentarse sin despedirse. Son animales bastante quisquillosos, muy dados a acicalarse, sobre todo después de que los ha tocado un humano. Su esperanza de vida es de uno a tres años.

Es bueno tocar y acariciar a los hámsters con regularidad.

Jerbos

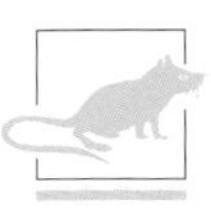

El simpático y curioso jerbo, con su pelo pardo (agutí) y sus grandes ojos oscuros, es una mascota muy popular. La especie que suele encontrarse en las tiendas es el jerbo de Mongolia, aunque a veces se encuentra el de Libia. En realidad, existen más de ochenta especies de jerbos, que difieren enormemente en tamaño, color, longitud de cola e incluso en el color de las uñas. Los jerbos de cría existen ahora en otros colores además de pardo. Los hay albinos, negros y píos.

En estado salvaje

Los jerbos son roedores adaptados particularmente a ambientes áridos: se los encuentra en los desiertos y estepas de África y Asia y desde el sudoeste de Rusia en occidente hasta el norte de China en oriente.

La mayoría de los jerbos pasan el día en madrigueras subterráneas donde disfrutan de una temperatura constante de 20-25 ºC, y a veces bloquean la entrada con una piedra o un terrón de tierra. Las altas temperaturas pueden resultarles letales rápidamente y la mayoría de las especies son nocturnas, saliendo a buscar comida en el frescor de la noche. Los jerbos Mongol y Grandes de las tierras más frías del norte, son de las pocas especies activas tanto de día como de noche.

Digestión

Obtener y conservar agua es fundamental para los jerbos. Consiguen parte "quemando" los hidratos de carbono de las semillas y demás materia vegetal que ingieren, pero también recogen la comida cuando está húmeda de rocío. Su sistema digestivo extrae agua de los alimentos con gran eficacia, y sus excrementos son muy secos; sus potentes riñones retienen toda el agua posible y excretan apenas unas gotas de orina muy concentrada.

Aunque la mayoría de los jerbos son herbívoros, comen casi cualquier cosa que encuentran. Una especie, el jerbo de Wagner, siente debilidad por los caracoles.

Jerbos mascotas

Los jerbos son fáciles de domesticar, rara vez muerden y suelen vivir alrededor de dos años. Son buenos saltadores pero no tienen idea de las alturas y por eso no hay que dejarlos solos encima de una mesa porque podrían saltar y lastimarse.

Sobrevivir en libertad

Los jerbos tienen el cuerpo modificado para poder sobrevivir rodeados de depredadores.

■ Tienen el oído medio muy grande, lo que les permite detectar el suave batir de alas de las lechuzas.

■ Sus ojos prominentes les proporcionan un amplio campo de visión.

■ Para camuflarse, su color es el del terreno en el que viven. Incluso dentro de una misma especie, los jerbos que viven en rocas volcánicas oscuras desarrollan una capa marrón oscuro, mientras que los que viven en arena ocre tienen el pelo anaranjado.

■ La larga cola les sirve de estabilizador al saltar y de apoyo cuando se yerguen sobre las patas traseras para otear.

El color claro de la parte ventral de los jerbos refleja el calor del suelo del desierto y contribuye a mantener fresco al animal.

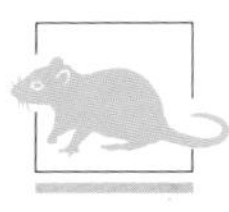

Ratas y ratones

Llegamos ahora a los animales más pequeños y más baratos de este libro, que suelen hacer las delicias de los niños y producir cierto rechazo en las personas mayores de quince años. Seguramente son pequeños y "de bolsillo" (y más de un entusiasta los lleva en el bolsillo), pero son piezas de ingeniería biológica tan intrincada e intrigante como las mascotas de más alto copete.

Estos diminutos individuos, vivarachos, fáciles de domesticar, y simpáticos, son también criaturas limpias, cariñosas y fascinantes, con menos riesgo de contagiar enfermedades a sus dueños que los perros. Se relacionan con los humanos más fácilmente que cualquier otra clase de mascota pequeña, y los ratones domesticados no son ni las alimañas arteras, cobardes y hurañas de que nos habla Robert Burns, ni diablillos voraces.

Variedades de ratones

Como grupo, los ratones son una familia variada y emprendedora, que no se limita a los agujeros en los rodapiés, a los trozos de queso o a los barcos que se hunden. Están los ratones de abedul en Eurasia que saltan más que corren, viven en madrigueras y, astutamente, hibernan en los crudos inviernos de la estepa; los ratones saltamontes de Norteamérica que comparten madriguera con los perrillos de las praderas y son muy útiles para controlar insectos, su alimento preferido, aunque a veces también cazan pájaros u otros roedores; los ratones saltarines de pelo gris, dorado o amarillo pardo, patas traseras largas y colas muy largas, algunos de los cuales viven en América y otros, menos conocidos, se pasean por los bosques del panda gigante en China; y los ratones espinosos de los desiertos mexicanos, con su pelo áspero.

Especies de ratas y ratones

Existen decenas de especies de ratas y ratones salvajes, y los domesticados se presentan en una amplia gama de colores y dibujos de pelo, no sólo en "blanco virginal". Pueden ser de dos colores. Hay ratas con "capucha" bicolores, con la cabeza y los hombros de un mismo color, como si llevaran capucha.

En Rusia se encuentra el delicado ratón de Selevin, un animalito valiente que no se descubrió hasta 1939. Le encanta cazar arañas y es nocturno; de hecho, le bastan unos minutos al sol para enfermar. Entre Alaska y el extremo de América del Sur, viven más de sesenta especies de ratones venado, de grandes ojos, y pelo que va desde el blanco hasta el negro pasando por marrón, pero siempre con "botines" blancos. En Australia, naturalmente, existe un ratón con bolsa, el ratón

marsupial, que no es un auténtico ratón, sino un pariente miniatura del canguro. Éstas son sólo algunas de las muchas especies que existen.

Tipos de ratas

¿Cuál es la diferencia entre una rata y un ratón? No es fácil responder; no es una cuestión de tamaño, porque hay especies de ratas pequeñas y especies grandes de ratones. Para los científicos, ratas y ratones son simplemente nombres que se han dado a varias especies de la familia de los Muridae. Las ratas tienen más filas de escamas en la cola (210 o más) que los ratones (no más de 180).

Aparte de las conocidas ratas pardas y negras, existen ratas de agua, con cola aplastada lateralmente para remar, ratas de pantano, ratas de árbol, ratas de campo, ratas jerbo, ratas de bambú, y ratas canguro, entre otras. Las ratas jerbo tienen las patas traseras largas y la cola con un mechón, y viven en el norte de Australia. África tiene ratas gigantes que miden cerca de 50 cm de longitud, la rata de árbol espinosa y las Rhabdomys, ratas de campo con cuatro rayas. En la Islas Salomón se encuentra una rata lanuda, la Capromys, y en Nueva Guinea la Mallomys, una especie muy grande, con pelo largo espléndido moteado de blanco, y la Anisomys, de pelo áspero y color crema excepto una base de la cola que es oscura. El roedor más extraño del mundo es seguramente

la rata de arroz de Swarth. Solamente se han visto cuatro vivas (en 1906) y no se volvió a registrar ninguna hasta 1966 en que se encontró el cráneo de un animal muerto recientemente. Esta criatura, si aún existe, vive en una isla de las Galápagos.

Nuestras elegantes ratas domesticadas, de alta alcurnia, mirarán por encima del hombro a la oveja negra de la familia de los roedores, sus infames primas las ratas salvajes negras y marrones. Se calcula que existen en torno a cien millones de estas dos especies en Estados Unidos, estos animales le cuestan al país cientos de millones de dólares, solamente en daños que causan a las cosechas.

Esperanza de vida y vista

La rata o ratón salvaje tiene una esperanza de vida corta, de semanas o meses. Los ratones mascota, sin embargo, alcanzan los tres años y a veces los cinco. Tienen instinto para orientarse (posiblemente magnético en realidad), pero son, casi con certeza, ciegos a los colores, y ven el mundo en blanco y negro.

Necesidades de agua

Como la mayoría de los roedores, los ratones y las ratas necesitan tomar poco agua; producen casi toda la que necesitan en circunstancias normales, "quemando" los hidratos de carbono de su comida y utilizando el agua que libera su organismo como

Adaptación al medio

Ratas y ratones son versátiles y se han adaptado estupendamente a prácticamente cualquier medio ambiente de la Tierra. Por ejemplo, los ratones caseros viven a veces en el material aislante de las paredes de una nevera y se adaptan al frío desarrollando un pelo más largo.

subproducto de la "combustión". Esa agua metabólica la producen animales mayores, incluso el hombre, pero para ellos es una fuente menor de H_2O; sus cuerpos relativamente macizos requieren mucha más agua de la que puede proporcionar un manantial interno. Las especies del desierto, como el ratón espinoso o los jerbos, pueden sobrevivir muy bien sin ninguna fuente externa de agua. Como medida adicional de conservación del agua, estas especies excretan apenas unas gotas de orina muy concentrada. Algunos ratones espinosos pueden vivir solamente de cantidades ínfimas de agua de mar e incluso el ratón casero corriente puede vivir casi indefinidamente sin agua. ¡Pero eso no significa que haya que dejar a las ratas y ratones domesticados sin agua fresca y limpia! Existen variedades domesticadas que, sobre todo en el caso de las ratas, pueden no ser tan resistentes como sus primas.

Agilidad y movimiento

Algunas especies, como las ratas canguro y los ratones saltarines, son excelentes saltadores; tienen muy desarrollados los huesos del tímpano (los que cubren el oído medio) para garantizar un mejor equilibrio y, posiblemente, mejor oído en el desierto donde viven estas criaturas.
Las ratas comedoras de peces y las ratas de agua de Sudamérica son, naturalmente, excelentes nadadoras. Algunas trepan con gran agilidad y viven en los árboles, y pueden correr por los cables del teléfono con más soltura que un funámbulo. Aunque muchos naturalistas creen que la rata parda no puede trepar, no es cierto; no es tan ágil como su pariente negra, pero se sube a los altos con bastante facilidad.

CAPÍTULO 3

Adquisición de la mascota

Así que estás decidido a tener un conejo, una cobaya, un hámster, un jerbo, una rata o un ratón..., pero espera ¿eres tú el amo que le conviene a una mascota? Antes de asumir la responsabilidad de tener un ser vivo, que respira y siente, hay algunos puntos que debes tomar en consideración. Hazte las siguientes preguntas y responde a ellas con sinceridad.

1 ¿Estás dispuesto a comprometerte a cuidar del animal o de los animales durante 365 días al año, y no sólo la primera semana hasta que se pase la novedad?

2 Piensa en las vacaciones ¿qué ocurrirá entonces?

3 ¿Conoces las necesidades del animal en cuanto a "vivienda", ejercicio, comidas, etc.?

4 ¿Podrás ofrecer suficiente espacio a los animales a los que les gusta la compañía como conejos y cobayas?

5 ¿Sabes si dan olor y podrás, a diario, combatir los olores limpiando, cambiando la tierra o virutas y tomando las debidas medidas de higiene?

6 ¿Cuánto esperas que viva tu mascota?

7 ¿Hay perros o gatos en la casa que pudieran interesarse con fines perversos por estas pequeñas mascotas?

8 ¿Sabes dónde obtener información, aparte de este libro, sobre el cuidado de los animales que piensas tener?

Preparar la llegada de la mascota

Si puedes responder a las preguntas anteriores de forma satisfactoria, lo siguiente es hacerte con la casa y accesorios del animal (ver página 49). Todo tiene que estar listo y dispuesto antes de que el, o los, animales lleguen a casa. Una vez todo preparado, puedes obtener la mascota de distintas formas.

■ Tiendas de mascotas

Actualmente existen tiendas excelentes de mascotas. Deberás elegir una que disponga de jaulas espaciosas, limpias y cuidadas para los animales a la venta y en la que el personal está dispuesto a responder a todas las preguntas que se te ocurran. Si tienes dudas sobre aspectos de salud, consulta con un veterinario antes de comprar un animal.

■ Aficionados y criadores

Otros sitios a los que puedes recurrir, sobre todo para razas de fantasía, es a aficionados y criadores. Estos últimos se encuentran en clubes y sociedades y también se anuncian en las revistas especializadas.

Los cuartos traseros bien limpios son fundamentales en una mascota sana.

Cómo tratar a una mascota

Cuando elijas la mascota, seguramente querrás cogerla y tocarla, y hacerlo correctamente. Aquí tienes algunos consejos.

Conejos

Los conejos se asustan fácilmente y debes cogerlos con cuidado. Si se cogen mal, se revuelven violentamente y se pueden dañar la médula espinal, incluso gravemente. Un susto importante o el nerviosismo pueden provocar un ataque al corazón a las mascotas pequeñas.

Atención: nunca agarres a un conejo de las orejas. Si se muestra nervioso o esquivo, agárrale de la piel del cuello con una mano y sujétale por las nalgas con la palma de la otra mano. A los conejos más mansos quizá no les guste la indignidad de que los agarren del cuello. Pásale entonces una mano bajo el pecho poniendo unos dedos entre las patas delanteras y con la otra mano le sujetas por detrás como antes. Cuando tengas agarrado así al conejo apóyalo contra tu pecho. Luego lo podrás depositar sobre una superficie no resbaladiza, como una mesa, pero sujetándole con tus manos.

Ésta es la forma correcta de sujetar a un conejo nervioso –con suavidad y firmeza–.

Cobayas

Sujeta al animal firme pero suavemente por los hombros, levántalo y apoya sus nalgas sobre tu otra mano.

Hámsters

Se cogen como las cobayas o, si son huidizos, por el cuello, aunque debes recordar que la piel del cuello de una cobaya es muy amplia y suelta por las bolsas que tiene en las mejillas.

Es esencial coger a la cobaya con firmeza y mucha suavidad.

Jerbos

No lo agarres nunca de la cola. Sosténlo con la palma de una mano y sujeta la base de la cola entre el índice y el pulgar de la otra mano para que no salte y se haga daño. También puedes cogerlo del cuello con cuidado y apretarlo ligeramente contra la palma de la mano si tienes que sujetarlo, pero no lo tengas nunca colgando de la piel del cuello.

Atención: los jerbos se pueden asustar si se les aprieta del lomo –no lo hagas–.

Ratas y ratones

■ Se puede agarrar a una rata por los hombros (poniendo el pulgar debajo de su barbilla si es asustadiza y pudiera morder). A las ratas nerviosas se las puede coger brevemente por la base de la cola.

Atención: a las ratas no se las coge nunca del cuello.

■ A los ratones se los puede levantar un momento de la cola y luego se cogen con cuidado del cuello con la otra mano. Si agarras a tu mascota con suavidad y firmeza, ella se mostrará tranquila y contenta.

Atención: las ratas y ratones asustados pueden morder.

Hay que sujetar con cuidado a los jerbos y hámsters para que no se caigan.

Qué se debe mirar al elegir una mascota

Conejos

Si es tu primera mascota, o va a ser la primera de un niño, una buena elección sería un Holandés, uno del Himalaya, un enano de los Países Bajos, o un Lop (de orejas largas). Todos ellos son muy dóciles. Observa que esté perfectamente sano.

La piel estará limpia, en buenas condiciones y con síntomas de que el animal se haya atusado.

Mira los cuartos traseros por si tuviera la piel sucia o manchada, lo cual es señal de diarrea.

El animal estará despabilado y activo, con el hocico en movimiento cuando esté fuera de su nido.

Atención: cuidado con los conejos extraños. Pueden dar mordiscos dolorosos.

Las orejas estarán limpias y sin costras, sin cerumen y no desprenderán mal olor.

No tendrá legañas en los ojos o la nariz demasiado húmeda.

La respiración será regular, silenciosa y a un ritmo de entre treinta y cinco y sesenta y cinco respiraciones por minuto (hasta cien en una cría).

Mira siempre los incisivos; estarán bien equilibrados y no sobresaldrán de los labios.

Mira las patas delanteras: no tendrán el pelo decolorado que será síntoma de que se frota mucho un hocico irritado.

■ Cobayas

Puntos a tener en cuenta al comprar una cobaya:

No tendrá mucosidad en ojos, hocico o boca.

El pelo estará denso y no áspero.

Un animal alerta, con el pelo brillante, sin manchas de excrementos u orina.

La respiración será regular y silenciosa.

Al tocarlo dará sensación de "macizo" y bien cubierto.

Los excrementos estarán bien formados, sin señal de diarrea.

Los hámsters

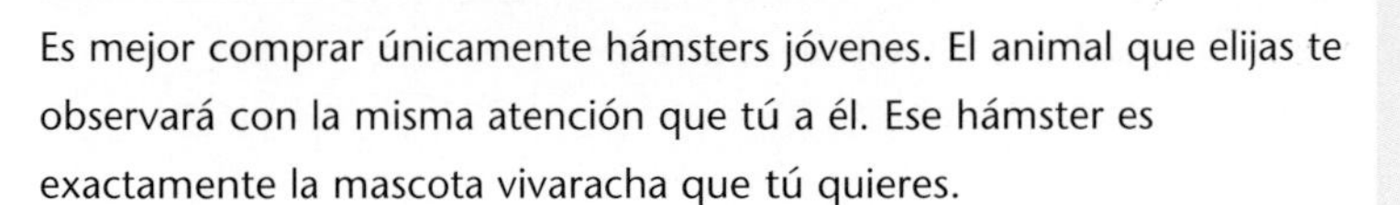

Es mejor comprar únicamente hámsters jóvenes. El animal que elijas te observará con la misma atención que tú a él. Ese hámster es exactamente la mascota vivaracha que tú quieres.

Busca un ejemplar joven de 7,5 a 10 cm de largo, con los ojos bien abiertos, como cuentas.

Será vivaz y curioso y no se asustará cuando le cojas.

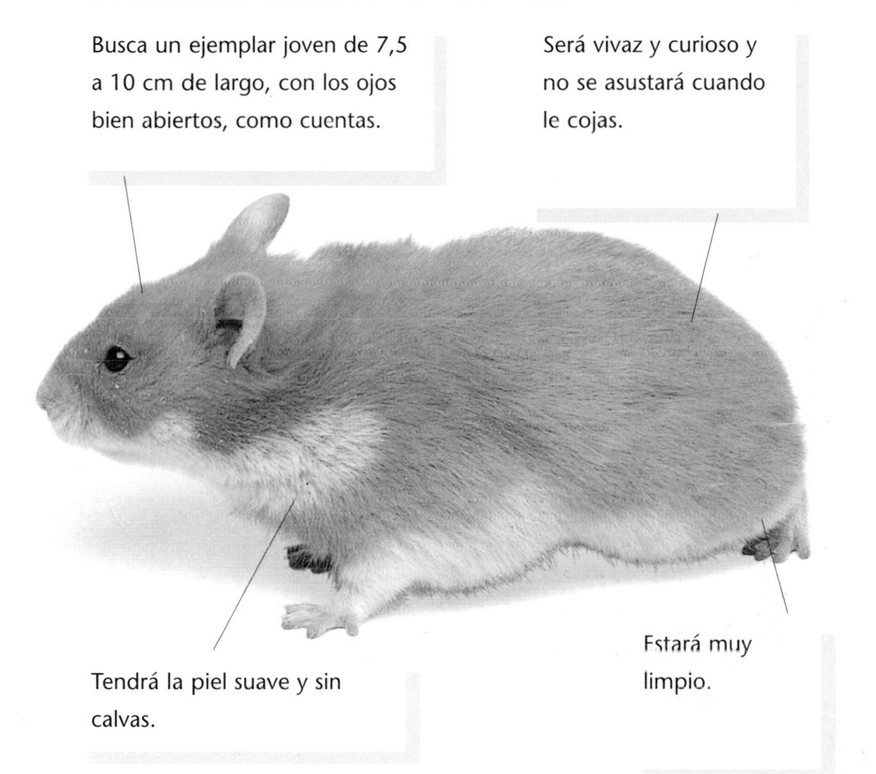

Tendrá la piel suave y sin calvas.

Estará muy limpio.

Nota: ten en cuenta que el hámster quizá se haya despertado de su sueño diurno. Podrá parecer adormilado y de mal humor si se le despierta bruscamente, por eso quizá la mejor hora para ir a verlo sea al caer la tarde.

Jerbos, ratas y ratones

Un jerbo, rata o ratón será un animalillo muy activo, siempre en movimiento y bastante cotilla.
Observa los siguientes puntos:

Tendrá los ojos, hocico, boca y cuartos traseros limpios y brillantes.

No estará muy gordo ni muy delgado. Las ratas gordas quizá tengan un año o más y serán "matronas".

La cola estará intacta, con la piel lisa o, en el caso de los jerbos, con pelo suave y sin calvas.

No se molestará si le tocas con cuidado y se dejará coger fácilmente.

No tendrá signos de cojera al andar.

Tendrá la piel lisa, sin zonas ralas o calvas.

La vivienda de la mascota

Hay muchos modelos de casas o jaulas para las mascotas en las tiendas. Algunas son demasiado pequeñas o enclenques, por eso, en caso de duda, es mejor que te hagas construir la casa, sobre todo en el caso de los conejos, según tus propias indicaciones. También en el caso de las ratas, es difícil encontrar una casa "prefabricada" adecuada. Para ayudarte a elegir y que tu mascota tenga la mejor calidad de vida, te indicaré cuáles son sus necesidades básicas.

Las conejeras serán espaciosas, secas y protegidas de las corrientes, y se colocarán en el lugar adecuado: a la sombra y no orientadas hacia el sol o el viento.

Conejos

Frente a la isla británica de Puffin, junto a Anglesey, los frailecillos (en inglés "puffin") expulsan sin miramientos a los conejos de sus madrigueras durante la época de cría y "okupan" sus casas hasta que sus polluelos están crecidos. Se las arreglan muy bien para echar a los conejos, pero la dificultad de mantenerlos en cambio en recintos controlados, hizo que antiguamente se utilizaran islas para ellos. La reina Isabel I de Inglaterra estableció colonias de conejos en islotes para abastecer sus despensas.

El amo de un conejo actual no tiene que recurrir a esos extremos. Las conejeras no requieren mucho espacio y son baratas de montar. No hay patio o terraza pequeña en que no quepa una conejera para uno o dos conejos. Estas excelentes mascotas ahorran energía y hacen ejercicio solas (y no como el perro) y caben en cualquier rincón (y no como el pony).

La casa del conejo

Una conejera para, por ejemplo, dos conejas medianas (los machos suelen pelear si se los coloca juntos y es mejor mantener separado a un macho de una hembra), será de madera fuerte, de al menos 15 mm de grosor.

- Las dimensiones no serán inferiores a 150 x 60 x 60 cm, con dos compartimentos, el cuarto de estar y el dormitorio o nido.
- Tendrá el tejado en pendiente hacia atrás, con un alero en la parte delantera, y cubierto de material impermeable resistente.

La conejera se dividirá en dos estancias: la zona de estar y el nido.

Temperatura

A los conejos les va mejor una temperatura entre 10 y 18 ºC, pero resisten bien fuera de esos límites. Sin embargo, ten cuidado con temperaturas superiores a los 28 ºC: los animales pueden sufrir golpes de calor con resultados fatales.
Si el termómetro sube por encima de los 28 ºC, riega con agua fría la conejera o suelta al conejo en la zona más fresca del jardín.

- Llevará una tela metálica fuerte en la parte frontal y a un lado del cuarto de estar, de unos 80 cm de alto.
- Tendrá patas para aislarla del suelo.
- Siempre hay que contar con espacio de sobra para cuando crezcan los animales.
- El interior será liso –a mí me gusta ponerle Formica–.
- El nido será lo bastante grande para que los animales se puedan estirar en él.
- El suelo continuo irá protegido o bien con una capa de poliuretano para impermeabilizarlo, o bien con una bandeja galvanizada y llevará una capa de 5 cm de virutas de madera blanda o de serrín.
- No conviene poner el suelo de rejilla porque, aunque ahorran limpieza, los animales no pueden comerse sus nutritivos excrementos nocturnos.
- Todos los conservantes de la madera que se utilicen serán no tóxicos.
- En el dormitorio se pondrá heno o paja, y llevará una puerta maciza, a prueba de corrientes de aire. Las puertas laterales son mejores que las trampillas de techo o los techos practicables. En libertad, los depredadores apresan a los conejos desde arriba y los conejos domésticos, instintivamente se pueden asustar si se le acercan unas manos desde arriba.
- Delante de la tela metálica del cuarto de estar, se puede poner un panel de madera o una lona gruesa por si llueve, hace demasiado frío, etc.

Los jaulones de ejercicio se desplazan con frecuencia a zonas nuevas.

■ Situar la conejera

La mejor dirección para situar la conejera es orientada hacia el sudeste, no directamente hacia el viento o el sol. Es aconsejable colocarla a la sombra y junto a una pared o una valla que la proteja.

■ Se puede tener a los conejos en el interior de una casa, pero conviene entonces sacarlos con regularidad a un jaulón sobre la hierba.

Nota: Hay que decir que a liebres y conejos no les gusta vivir juntos y ¿adivinas quién gana en caso de pelea entre liebre y conejo? Pues el conejo, aunque te sorprenda.

■ Jaulones para ejercicio

Se puede hacer un jaulón permanente, de 100 x 200 cm por lo menos con los laterales de tela metálica, que se clavará en la tierra, o, mejor aún,

Importante

Los jaulones para correr y las conejeras se limpiarán dos o tres veces por semana ya que los conejos orinan con mucha frecuencia.

Leños

En la parte del "cuarto de estar" con tela metálica, se colocará un leño de madera vieja para que lo roa el animal, es bueno para sus incisivos y ahorra desperfectos en la conejera.

se puede comprar una jaula portátil en forma de tienda de campaña, de tela metálica con un "trampolín" de madera y suelo de tela metálica. Esta jaula se puede desplazar y trasladar con lo que se evita que el suelo "enferme" y se llene de gérmenes y parásitos. Estos jaulones de ejercicio llevarán un extremo cubierto para proteger al animal del sol y la lluvia. No suele haber problemas de que el conejo cave y escape.

Aunque a algunos conejos no les molestan los arneses y las correas, otros no están dispuestos a ir de paseo como este precioso conejo Inglés.

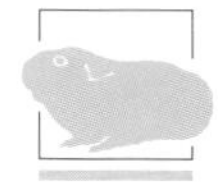

Cobayas

Las cobayas son menos resistentes que los conejos y hay que protegerlas de los elementos. Pero toleran gran amplitud de temperaturas siempre que no haya corrientes de aire y que estén protegidas de la humedad. Si tienen un buen lecho de paja en el que meterse, pueden estar fuera sin calefacción, aunque es preferible no utilizar jaulas exteriores en los meses de invierno. Para criar, se recomienda una temperatura de 15,5 a 18 ºC. Si la temperatura no supera los 13 ºC, las crías no se desarrollan bien. Por otra parte, una temperatura superior a los 32 ºC puede resultarles fatal, sobre todo a las hembras gestantes. En épocas de mucho calor hay que situar las jaulas y los animales a la sombra.

■ La vivienda de una cobaya

■ Conejeras

La vivienda de una cobaya puede ser una conejera, que mida por lo menos 120 x 60 x 45 cm para dos cobayas pequeñas.

■ Jaulas

También es adecuada para las cobayas una jaula como las de los hámsters, pero mayor.

Cajones

También se puede colocar a las cobayas en un cajón suelto, en un cobertizo o habitación adecuados.

Nota: Cualquiera que sea la vivienda elegida, estará bien aislada, cubierta de paja, limpia de parásitos y con las paredes y suelo impermeables al viento, al agua y a los ruidos.

Para las cobayas se suelen utilizar suelos de tela metálica pero tienen el peligro de que las mascotas se rompan las patitas. Para

Las cobayas necesitan una conejera espaciosa con un lecho grueso y limpio, de heno, de virutas de madera o de musgo de turba.

Hay que cepillar con frecuencia a las cobayas de pelo largo.

evitarlo, se recomienda tela metálica con agujeros rectangulares de 1,25 x 3,5 cm.

■ El lecho

Puede ser de virutas de madera, preferiblemente seca y blanda, o de musgo de turba. Es preferible no utilizar pajas o virutas de madera verde o de pino, que podrían comerse con las consiguientes molestias digestivas. Parte del heno que se les ponga lo utilizarán a su antojo de cama. Hay que cambiarles el lecho y limpiar a las cobayas los cuartos traseros al menos una vez a la semana.

Jaulones para correr

Al igual que para los conejos, se utilizarán jaulas para correr (permanentes o portátiles) cuando el tiempo lo permita. Aunque conejos y cobayas pueden vivir juntos en buena armonía, sobre todo si lo hacen desde pequeños, no lo recomiendo. El conejo, más pesado, puede saltar sobre la cobaya y aplastarla.

Hámsters

En estado libre, los hámsters viven en zonas desérticas con temperaturas extremas que varían de 52 ºC a –3 ºC en el espacio de veinticuatro horas. Son anacoretas que prefieren vivir solos, acostumbrados a madrigueras con un alto nivel de humedad.

■ La vivienda del hámster

Como mascotas, es preferible que los hámsters vivan solos casi todo el tiempo. Puedes comprar jaulas especiales para hámsters de al menos 2400 cm^2 x 30 cm de alto, que sean de fibra de vidrio, de plástico fuerte (el polipropileno y el policarbonato son más resistentes al hámster que el polietileno, el acrileno y el poliestireno), o de metal galvanizado, pero no de aluminio, de zinc o de madera que rompería el animal con los dientes.

La crianza de hámsters requiere una buena preparación; en la página 89 encontrarás información detallada.

Diseño típico de una jaula de hámsters.

- A los hámsters y otros roedores les encanta esconderse en los rincones por lo que, si les compras una jaula circular, deberás ponerles un escondite.
- Una rejilla de barrotes en el techo o un lateral es preferible a la tela metálica. Las jaulas de los hámsters no tendrán rejillas con menos de 8 agujeros por cada 5 cm, porque se podrían lastimar la cara o las patitas.
- Son preferibles las puertas correderas a las de bisagra que les podrían pillar las patitas.
- Como para los conejos, es preferible que la puerta esté en un lateral mejor que en el techo, arriba del animal.

Temperatura

La temperatura ambiente ideal para el hámster es de 21 a 24 ºC. Las hembras gestantes y las crías estarán más bien a 24 ºC y los machos más bien a 21 ºC. Una temperatura demasiado elevada es más peligrosa para el hámster que una temperatura baja, y la combinación de altas temperaturas y baja humedad les acorta la vida y los envejece prematuramente. Cuando haga calor, ten la jaula del hámster en una habitación con la ventana abierta. No pongas nunca la jaula junto a una ventana soleada.

Humedad

Lo ideal es que la humedad en la jaula del hámster no sea inferior al cuarenta o sesenta por ciento. Comprueba que tenga siempre las botellas de agua llenas y, si el tiempo está seco, ponle un cuenco con agua junto a la jaula.

Ruedas de ejercicio

Estarán fijas a la jaula, sin riesgo de volcarse.

El lecho

Se cubrirá el fondo de la jaula con serrín o virutas de madera blanda, con tiras de papel (no de periódico: la tinta puede ser venenosa), fibra de madera, heno o paja, y todo ello mejor sobre una capa de turba. Procura que la cubierta que pongas no esté contaminada por los excrementos u orina de otros roedores. A los hámsters les gusta el algodón para hacerse un nido. Tendrás que limpiar la cubierta sucia cada dos o tres días. Si le pones un tarrito con agua a un lado de la jaula, se animará probablemente a utilizarlo como cuarto de aseo. Vacía el tarrito y lávalo a diario.

Las ruedas de ejercicio y los escondites mantendrán entretenido a tu hámster.

Jerbos, ratones y ratas

Las viviendas de los jerbos, ratones y ratas son fáciles de conseguir y baratas; se pueden utilizar jaulas de madera, aluminio, hiero galvanizado o plástico fuerte, o acuarios de cristal. La madera tiene el inconveniente de absorber los líquidos y de ser menos higiénica ¡Además es masticable!

Las jaulas ofrecen a sus moradores la oportunidad de trepar y de oler y ver a sus amos, pero no los protegen de las corrientes de aire. Los acuarios de cristal son bonitos, protegen del aire y son fáciles de limpiar, pero hay que hacerlo con más frecuencia por la condensación y porque tienen tendencia a oler más. Como cada especie tiene sus propias necesidades, es mejor tratar sus viviendas por separado pero siempre son mejores las jaulas o acuarios con esquinas que los redondos. ¡A los roedores les encantan los rincones!

Jerbos

- Lo ideal es una jaula de plástico fuerte o de acero y alambre, o un acuario, con una superficie de al menos 1500 cm^2 y 30 cm de altura con una tapadera bien ajustada de rejilla de alambre.

Esta jaula es ideal para jerbos porque les gusta mucho trepar.

■ El suelo se cubrirá con musgo de turba, tierra de macetas o virutas de madera blanda, con heno, fibra de madera o tiras de papel (no de periódico) para la cama.

■ No se utilizará para la cama fibra artificial porque los hilos se les podrían enrollar en las patitas, cortándoles incluso la circulación. Tampoco se recomienda ponerles arena, porque los jerbos se enterrarían y se lastimarían la cara.

■ La temperatura ambiente para los jerbos será de 15 a 20 ºC con una humedad máxima del cincuenta por ciento.

Ratones

■ Las jaulas metálicas o los acuarios de cristal son lo mejor para los ratones. Las dimensiones mínimas serán de 1200 cm^2 x 30 cm de alto. Cada ratón dispondrá por lo menos de un espacio de 260 cm^2.

■ El fondo de la jaula será continuo y la tapadera ajustará perfectamente.

■ Se le puede poner un compartimento para dormir, pero si dispone de un buen espesor de lecho, no es imprescindible.

A las ratas les encanta la compañía, no tengas una sola.

■ El suelo se cubrirá con musgo de turba, serrín, virutas o trocitos de madera blanda, con tiras de papel (no de periódico) o algodón para la cama. Si se le pone bastante material para la cama, se reduce el riesgo de peleas cuando se mete otro animal en la jaula (sobre todo si los dos son machos).

■ La temperatura ideal es de 15 a 27 ºC. Por encima de 30 ºC el ratón está expuesto a un ataque al corazón.

■ Cuando preveas la casa de los ratones, ten en cuenta la probabilidad de que críen y, o bien ten preparada una segunda jaula, o bien asegúrate de que la jaula original sea lo bastante grande para una familia que aumenta. En líneas generales, con un cincuenta por ciento más de superficie, se puede duplicar el número de animales.

Ratas

■ Las jaulas para ratas que se encuentran en las tiendas suelen ser demasiado pequeñas. A las ratas les encanta la compañía y conviene tenerlas por parejas o grupos. Prefieren las jaulas largas y estrechas con mucha altura, una serie de plataformas a distintos niveles en las que hacer su nido y una zona de aseo lejos de la comida y los nidos. Para dos ratas, la jaula tendrá una superficie de suelo de 2000 cm^2 y una altura mínima de 30 cm.

- El suelo será macizo. La rejilla o tela metálica les podría lastimar las patas.
- Una conejera, una jaula de loro o un acuario grande sirven para acomodar a las ratas. Las conejeras les gustan más que los acuarios.
- El suelo se cubrirá de musgo de turba, virutas o serrín de madera blanda, y con tiras de papel (no de periódico) para la cama. No

Esta jaula estaría mejor si fuera más larga y más alta.

conviene ponerles algodón porque se les podría enrollar en las patas.

- Las ratas se tendrán en interior a una temperatura de entre 15 y 27 ºC. Al igual que otros roedores pequeños, una temperatura excesiva (por encima de los 30 ºC) les podría provocar un ataque al corazón.
- Hay que ponerles un leño o tronco de madera vieja para que ejerciten los incisivos.

Accesorios de la casa

■ Comederos y bebederos

Es importante comprar los recipientes adecuados para la comida y el agua de las mascotas. Los cuencos para comida serán resistentes a las mordeduras y no se volcarán fácilmente. Evita los de plástico –aparte de que los conejos y roedores tienden a morderlos, algunos animales

Las botellas de agua como ésta son preferibles a los cuencos.

Cuencos para beber

■ Los cuencos planos u hondos, del material que sean, no son buenos como bebederos. Enseguida se ensucian con briznas de paja, con excrementos y con comida.

son alérgicos a los pigmentos colorantes del plástico–. Los cuencos de barro barnizado o de acero inoxidable son los mejores.

■ En una conejera, el heno de comer se pondrá en un comedero sujeto a uno de los laterales macizos del cuarto de estar. Así no pisotearán ni ensuciarán la hierba.

■ Los mejores bebederos son las botellas de agua en que ésta va cayendo por gravedad, con una válvula de bola en la espita metálica y que se sujetan a un lateral de la jaula o de la rejilla por una pinza. En las tiendas se encuentran varios modelos. Al instalar la botella de agua comprueba que las crías lleguen también a la espita y que tienen la fuerza suficiente para activar la válvula.

■ Los comederos y bebederos se limpian dos o tres veces por semana.

■ El descanso

A los pequeños roedores les encanta la intimidad de un nido dentro de su casa. Se pueden comprar cajas para nido, de las que existen muchos modelos, pero los animales estarán igual de contentos con un cartón de leche limpio y seco u otro recipiente parecido. Los tubos de cartón (como los de los rollos de papel de WC) son estupendos para jerbos y ratones.

■ Ejercicios y juegos

■ Los conejos necesitan hacer ejercicio y es importante que puedan corretear en una gran jaula o sueltos por un jardín. Si es posible, se

En las tiendas de mascotas se encuentran muchos accesorios.

les pondrá una rampa desde una puerta de la conejera hasta el suelo para que el animal pueda entrar y salir a su antojo durante el día.

■ Mencionábamos antes los troncos o leños para conejos y ratas, pero a todos los pequeños roedores hay que ponerles algo para mordisquear, un leño o una ramita de madera blanda.

■ A las mascotas roedoras, sobre todo a las ratas, les gusta trepar. Los estantes, las rampas, las escaleras y los accesorios para trepar les divierten mucho y les permiten hacer ejercicio. Si son de madera,

Artículos como éstos entretienen a las mascotas y les sirven de escondite.

Los tubos de cartón dan el mismo servicio y divierten tanto como los accesorios y juguetes más caros.

habrá que limpiarlos bien y con regularidad. Siempre el metal es preferible a la madera.

■ Esto también se aplica a las ruedas "de molino". Las de plástico duran menos que las de metal. Para mayor estabilidad, es preferible que las ruedas estén fijas a una parte de la jaula. Por cierto, las ruedas de molino no son ninguna tortura cruel. A los animales les encantan y pueden entrar o salir de ellas cuando les place.

■ A los hámsters sobre todo les gustan mucho las ruedas, y también a las crías de rata y ratón. Pero no se las pongas a los jerbos: se suelen lastimar la cola. Lo que les va bien a los jerbos es un plato o un pequeño "arenero" lleno de arena fina y limpia –cómprala en la tienda de mascotas o floristería, pero no la cojas por tu cuenta– en donde se puedan dar "baños de tierra".

■ Hay toda clase de juguetes –campanillas, espejos, pelotas, etc.– para jerbos en las tiendas de mascotas, pero las de periquitos también les gustan.

CAPÍTULO 4

Alimentos para mascotas

Conejos

Los conejos en estado salvaje comen casi de todo, como bien saben los hortelanos y los agricultores. Se comen las dedaleras venenosas y la belladona (peligrosa para las crías) sin que les afecte, pero en cambio desprecian la hierba lombriguera, más inofensiva. No les gustan las azaleas, los rododendros, la madreselva, el espino, el cornejo, la acedera, la consuelda (que sí les gusta a los conejos-mascota), la bardana, las prímulas o primaveras, y se comerán las ortigas sólo si escasea el alimento. Pero mucha gente utiliza ortigas tiernas y frescas y las almacena para sus conejos en una

Necesidades diarias

■ Un conejo de tamaño medio necesita unos 170 g de verdura verde a diario.

■ Las conejas gestantes empiezan por tomar la cantidad anterior, pero se les va aumentando poco a poco hasta darles el doble de cantidad al final de la gestación.

■ Las hembras lactantes también necesitan más alimento. Auméntales la cantidad hasta llegar a tres veces lo normal al final de la lactancia (de seis a ocho semanas después de parir).

pequeña poza durante los meses de verano. Cuando está lleno el silo, lo tapan con una capa de tierra. La ortiga así almacenada es un estupendo forraje en el invierno, es muy nutritiva y a los conejos les entusiasma.

Curiosamente, a los conejos parece desagradarles el aro o cala, aunque a esa planta se la llama "pain de lièvre", o pan de liebre, porque se supone es el ingrediente básico de la dieta de la liebre.

■ Alimentos para conejos mascota

Existen distintas dietas alimentarias para los conejos domésticos. Se incluyen entre ellas:

■ Alimentos completos

Un método que se suele utilizar es el de alimentarlos con uno de los varios alimentos completos especialmente compuestos para conejos, que se encuentran en el mercado. Se presentan en forma de bolitas y algunos contienen un aditivo químico inofensivo que evita la aparición de una enfermedad común en el conejo llamada coccidiosis (página 105). Esas bolitas están compuestas de alimentos como avena, salvado, harina de hierba y harina de pescado blanco. Un conejo adulto medio necesitará diariamente unos 150 g de esas

> **Nota:** Conviene lavar bien todas las verduras para eliminar los restos de pesticidas que pudieran tener.

bolitas. En teoría no necesitan otra comida, aparte, naturalmente, de agua limpia en abundancia, pero conviene no limitarse a una dieta científica muy estricta y reducir la cantidad de bolitas a unos 50 g diarios complementándolo con otros alimentos.

Heno y verduras

Yo recomiendo encarecidamente que se dé heno a los conejos, que les impide desarrollar malas costumbres, como la de comerse el pelo. También hay que tener en cuenta el aburrimiento. Los conejos, como los humanos, no sólo comen para tener energía; también les gusta variar, comer alimentos frescos y probar los distintos olores y sabores que hacen que la preparación de alimentos sea un arte. Utiliza como base de la dieta las bolitas para conejo, pero añádeles, cuando sea

Es importante ofrecer al conejo o roedor una serie de alimentos apetitosos y nutritivos.

Comida completa para conejos

Golosina para conejos

Agua

Golosina para conejos

Mezcla preparada para roedores

época, verduras y hortalizas como coles de Bruselas, col, zanahoria, coliflor, apio, achicoria, col china, nabos, peras, guisantes, vainas de guisante, espinacas, chirivías, etc.

- Recoge plantas silvestres como hojas de diente de dragón, trébol, fárfara, consuelda, nabo silvestre, centaura, zurrón de pastor y pamplinas –pero lávalas bien antes si las coges en cunetas donde pudieran estar contaminadas por productos químicos o gases de escape de los coches, etc–.

Atención: no le des nunca hojas lacias ni desperdicios de la cocina o de la mesa. Olvida la lechuga para los conejos, pese a lo que digan los cuentos; tiene poco alimento y puede producirle diarrea si come mucha.

El agua

Aunque los conejos salvajes y sus primos domesticados apenas beban sí comen alimentos con alto contenido en agua, siempre se les debe poner a mano agua limpia y fresca –en invierno y en verano–. Comprueba que en invierno no se hiele el agua de las botellas. Puedes envolverlas en calcetines viejos.

Mezcla de alimentos concentrados para conejos

Algunos amos prefieren hacer sus propias mezclas de alimentos concentrados en lugar de utilizar bolitas de pienso. Los cereales se pueden comprar en tiendas de agricultura o herbolarios.

- Recetas para tres clases de mezclas:

1. Cuatro partes de pan integral, una parte de salvado.
2. Harina de avena, de trigo y de lino a partes iguales.
3. Cuatro partes de harina de avena, cuatro de cebada y dos de soja.

Nota: estas harinas se le pueden dar a la mascota solas o en papilla con agua o leche templada.

Plantas venenosas

Las plantas silvestres que no se le deben dar nunca a conejos domésticos son: anémonas, cala silvestre, azafrán de otoño, convólvulo, campánulas, brionias, botón de oro, celidonias, mercurial, saúco, escrofularia, perejil silvestre, dedaleras, cicuta, beleño, dulcamara, amapolas, linaria y clemátides silvestres.

■ Necesidades diarias

Un conejo come aproximadamente el cuatro por ciento de su peso en alimentos diariamente, por lo que un ejemplar adulto de, por ejemplo, 4,5 kg necesitará unos 75 g de mezcla concentrada a diario, más unos 100 g de heno. Aunque es mejor ponerles hierba en abundancia para que coman la que quieran, no es conveniente darles más alimento concentrado. Los conejos enseguida acumulan grasas que les acortan sensiblemente la vida.

■ La dieta y las enfermedades de los dientes

Algunos expertos indican que, debido a la alta incidencia de enfermedades de los dientes en los conejos mascota, con consecuencias a veces graves, es aconsejable eliminar los concentrados de su dieta y alimentarlos de una forma más parecida a la de sus parientes salvajes cuyos dientes y mandíbulas están bien ejercitados. Recomiendan darles sólo heno y verdura de hoja verde a voluntad.

■ Frescor

Si sólo tienes uno o dos conejos, no compres grandes cantidades de comida. Es preferible comprarla en pequeñas cantidades para que siempre esté fresca. Las bolitas y demás formas de concentrados pierden con el tiempo vitaminas, aceites esenciales, etc.

Vitaminas y minerales

En la casa del conejo debes poner siempre un bloque de minerales. Instintivamente lo lamerá el animal y obtendrá así los minerales que necesita. Es también buena idea añadir al agua de beber unas gotas de vitaminas. En las tiendas de mascotas encontrarás las preparaciones adecuadas, sigue las instrucciones de dosificación del envase.

El bloque de minerales permitirá al conejo tomar instintivamente todos los minerales que necesite.

Resumen de alimentación

Las normas básicas para alimentar a un conejo son:

- Pesar los concentrados
- Ofrecer cantidades moderadas y variadas de verduras y hortalizas de temporada.
- No olvidar nunca el agua
- Asegurarse de que el animal hace mucho ejercicio.

Cobayas

Las cobayas son, naturalmente, vegetarianas y se parecen en muchos aspectos a los demás roedores, pero tienen algunas necesidades especiales. Por ejemplo la vitamina C. La mayoría de los animales fabrica esa vitamina en su organismo, pero el conejillo de Indias –junto con el hombre, los grandes primates, el murciélago de la fruta y (por si no lo habías adivinado) el ruiseñor de Oriente de pechuga roja–, necesita un aporte adecuado de vitamina C para evitar el escorbuto. Otros elementos esenciales en la dieta de la cobaya son las vitaminas E y K y un factor sin identificar que se encuentra en el heno. Hay que dar a los animales heno para que no se coman el material de sus camas o el pelo de los otros animales.

■ La dieta adecuada

Una dieta adecuada para las cobayas se compone de concentrados (en forma de papilla o bolitas), que se compra en tiendas de mascotas, junto con alimentos verdes, henos y agua. En los alimentos verdes incluyo frutas y ciertas hortalizas.

- Alterna los distintos ingredientes en días sucesivos para variarle la comida lo más posible.
- Lava las verduras y descongela las hortalizas que estuvieran congeladas.
- Dale solamente vegetales sanos, quitando las partes estropeadas.

■ Comprueba que entre el heno no haya cardos que pudieran lastimarle la delicada boca.

■ Necesidades alimentarias diarias

Si todos los días le das a tu cobaya una cucharada de algunos de los alimentos de los siguientes grupos, tendrás la seguridad de darle los ingredientes esenciales para su salud:

1 Diente de león, hierba cana, zurrón de pastor, branca ursina falsa, cerraja, trébol, pamplina, llantén, arvejas, distintas clase de hierba.

2 Zanahoria, nabo, repollo, lechuga, col china, caléndula, brotes de zarza, brotes de álamo y fresno.

3 Patatas cocidas, pan, galletas de avena y para perro.

4 Frutas: manzana, plátano, uvas, melocotón y pera.

5 Bolitas de pienso para vaca u oveja, alimentos para roedores o cobayas de tiendas de mascotas.

6 Heno –siempre y cuanto quiera–.

■ Agua

Siempre tendrá agua limpia y fresca. Aunque tu cobaya coma muchos vegetales, no puedes tener la seguridad de que recibe el agua que necesita. Una dieta demasiado seca le provocará prolapso del recto. Aunque el pienso para cobayas lleva un suplemento de vitamina C, es preferible disolver una tableta de 25 mg en el agua del animal cada vez que se la cambies, que será por lo menos tres veces por semana.

Nota: es buena idea dar a la cobaya una vez por semana una pizca de harina de huesos (esterilizada) y de levadura seca. En invierno se le mezclará una gota de aceite de hígado de bacalao con la comida cada dos o tres días.

Hámsters

Los hámsters son fáciles de alimentar y se puede hacer de varias maneras. La variedad es fundamental; puedes probar a darles cereales, zanahorias, trébol (pero no césped), diente de león, lechuga, pan, fruta, trocitos de carne y pescado, galletas para perros (buenas para los dientes) y leche. Los alimentos para roedores, ratones, animales de laboratorio o perro, en forma de bolita y demás, los encontrarás en las tiendas de mascotas y serán la base de una dieta equilibrada. Se recomienda añadir un pellizco de levadura de cerveza, o media tableta de levadura, una o dos veces por semana, sobre todo para evitar diarreas (ver página 119).

■ Consejos de alimentación

■ A los hámsters se les puede dejar la comida, pero quítales todos los días las porciones sin comer porque si no las irán almacenando y se estropearán.

■ No conserves los alimentos mucho tiempo (pierden vitaminas) y procura que no se mezclen con los excrementos.

■ Lava la fruta y verdura antes de dársela.

■ Es normal que los hámsters se coman sus excrementos: contienen vitaminas B y K producidas por el intestino del animal.

■ Agua

Siempre tendrá agua limpia a su disposición. No dejes nunca que se le seque la botella. La falta de agua durante 24 horas puede provocarle una pérdida de 10 g o más; en las crías, sobre todo en época de calor, puede ser fatal.

Nota: A algunos hámsters les encanta el pan con mantequilla ¡No te pases! Demasiada grasa le puede provocar diarrea ("cola húmeda"), problemas cardiacos y convulsiones. Quita la grasa de los trocitos de carne que le des a tu mascota.

Jerbos

Algunas especies de jerbos originarias del desierto sobreviven de semillas arrastradas por el viento y poco más. La mayoría prefieren llevarse la comida a la madriguera para comerla, y los que viven en regiones más frías la almacenan como los hámsters. Los jerbos de Mongolia llegan a acaparar hasta 20 kg de semillas.

Una dieta equilibrada

Como mascotas, los jerbos necesitan una dieta equilibrada con un alto contenido en proteínas y con suplementos de otros varios

Mezcla casera para jerbos

Las mezclas típicas para jerbos contienen semillas, granos, frutos secos, verduras secas y huevo seco. Si quieres hacer tu propia mezcla, pon los ingredientes siguientes a partes iguales:

- Semillas (pipas de girasol, linaza, etc.)
- Avena, trigo, maíz, germen de trigo, mijo, cereales de desayuno sin azúcar
- Cacahuetes
- Conserva la mezcla bien cerrada en lugar fresco y seco.

Nota: Un jerbo adulto comerá aproximadamente una cucharada diaria de la mezcla.

alimentos que los mantengan interesados. Los alimentos compuestos, que sirven tanto para hámsters como para jerbos, se compran en las tiendas de mascotas y son alimentos equilibrados, en forma de bolitas, adecuados para conejos, ratas y ratones. Lee la etiqueta de la caja para comprobar que el contenido en proteínas sea de al menos el veinte por ciento y que el alimento no esté pasado de fecha.

Frutas y verduras

De vez en cuando se le pueden dar otros alimentos, como: verduras de hoja y hortalizas lavadas y secas, plantas silvestres lavadas y secas, como diente de león, pamplinas y trébol, y toda clase de frutas. Recuerda que hay que lavarlo todo bien, fruta, verduras y plantas, para eliminar rastros de pesticidas.

Precaución

Las pipas de girasol son muy ricas en grasa y pobres en calcio. A los jerbos les encantan y, si comen demasiadas, pueden tener problemas de obesidad y de enfermedades óseas. Si se les dan demasiadas verduras de hoja, sobre todo lechuga que contiene mucha agua, pueden tener problemas digestivos y diarrea. Repito que estos alimentos sólo se les deben dar de vez en cuando y en pequeñas cantidades (una cucharada).

A los amos les gusta dar a sus jerbos golosinas como grajeas de chocolate, aperitivos crujientes, palomitas de maíz, etc. No está mal, siempre que sea de cuando en cuando. ¡Al jerbo le engordan mucho, lo mismo que a los humanos!

Ratas y ratones

Las especies salvajes comen una amplia gama de alimentos. Las ratas pardas sobreviven casi en cualquier lugar y comen desde desechos putrefactos y pajarillos hasta excrementos de conejo y grasa lubricante. La rata almizclera, más exquisita, se alimenta de mejillones y cangrejos. Una especie como el ratón saltarín, come fruta, semillas e insectos y ésa es la dieta típica esencial de la mayoría del grupo.

Curiosamente, el queso no es lo más adecuado para un ratón o rata domesticados. Ni siquiera es lo que más les gusta y, si comen demasiado, les produce una orina de olor muy fuerte.

Alimentos preparados

En tiendas de mascotas se pueden comprar alimentos especiales para ratones y ratas.

- Los mejores resultados se obtienen con dietas que contengan de un veinticinco a un cuarenta por ciento de proteínas.
- Los alimentos preparados se complementarán con fruta y verdura de hoja verde tres veces por semana.
- No se guardarán mucho tiempo y se protegerán de los insectos.
- En caso de guardar cereales o pienso durante un tiempo, asegúrate de que no les entren polillas. Podrían provocar enfermedades de la piel o digestivas a las mascotas.

Mezclas caseras

■ **Para ratones.** Si quieres componer tus propias mezclas, una buena dieta para los ratones es cuatro partes de avena, una de alpiste y una de mijo blanco. Además les puedes dar un poco de diente de león, pamplina, manzana o verdura de hoja verde oscuro en días

alternos. Le puedes dar restos de cocina en pequeñas cantidades, pero recuerda cambiar todos los días la comida de la jaula.

■ **Para ratas.** Puedes variar mezclando algunos de estos ingredientes: galletas para perro, cebada, avena, judías, repollo, zanahoria, pan, fruta, trocitos de carne o pescado cocidos, leche, huevo cocido. La carne y pescado sólo una o dos veces por semana. Una gota de aceite de hígado de bacalao y un pellizco de levadura seca una vez por semana también le sentarán bien. Ratas y ratones pueden comer cuanto quieran pero, siempre, retírale todos los días la comida de la víspera.

Agua

Ratas y ratones deben disponer siempre de agua limpia, aunque beban muy poco.

Cría

Conejos

Te darás cuenta de que no hay que tomar a broma el entusiasmo de los conejos por multiplicarse; baste decir que, tras ser introducidos en Australia, los conejos tardaron apenas cincuenta años en colonizar la inmensa isla.

Los conejos no tienen estro (época de celo), contrariamente a los roedores, y pueden criar en cualquier época del año. La ovulación, la salida del ovario de los óvulos maduros, no se produce espontáneamente como en las mujeres o en animales como la perra o la vaca, sino que lo desencadena el acto de cruzarse. De enero a junio es la principal época de cría entre los conejos salvajes, con especial predilección por marzo y abril.

Camadas

Los conejos pueden tener varias camadas de dos a ocho crías al año. El tamaño medio de una camada es de cinco crías pero puede llegar a diez. La raza más prolífica de conejos es la estrella de Norfolk, que puede producir de noventa a cien crías al año; ¡un macho estrella de Norfolk llamado "Chewer" tuvo 40.000 pequeños entre 1968 y 1973! De todas formas, no conviene sobrepasar las tres camadas anuales para la salud y larga vida de la hembra.

Cruces

Si no tienen ciclo de estro los conejos ¿cómo saber cuándo debes poner juntos al macho y la hembra? El estro, la época en que se encuentran en el ovario óvulos maduros, se puede detectar a veces observando la vulva que se agranda y enrojece en ese periodo. Pero no siempre se observa ese síntoma y otras veces, a pesar de presentarlo, la hembra rechaza al macho. La prueba será ver cómo reacciona la hembra cuando se le acerca el macho –lleva siempre la hembra al macho, nunca al contrario porque entonces el macho estaría demasiado ocupado en investigar su entorno extraño y no se centraría en el aspecto amoroso–. Si tienes más

La construccion del nido

La llegada de las crías la suele preparar la madre haciendo un nido forrado de pelo suave que se arranca ella. Es conveniente ponerle un nidal poco alto, de 5-7 cm de altura, en el compartimento de dormir de la jaula. La caja se cubre de serrín y de heno o paja en trozos de 10-15 cm. Si la madre no contribuye poniendo pelo en el nido la víspera de parir, añádele unos manojos de pelo que puedas haber conservado de anteriores gestaciones.

de un macho, prueba a poner la hembra con cada uno de ellos. A veces ella hace gala de una naturaleza caprichosa y se muestra esquiva con uno y se enamora perdidamente del siguiente.

■ Gestación

La gestación dura alrededor de un mes (de 28 a 34 días) en los conejos, y unos 47 días en las liebres. Las hembras pueden aceptar al macho durante la gestación o una falsa gestación.

■ **Falsa gestación** (pseudo-gestación): es un fenómeno frecuente en las conejas y dura unas dos semanas y media. Se le hinchan las glándulas mamarias y puede empezar a preparar el nido para su camada imaginaria. La falsa gestación puede deberse a un cruce sin fertilización, aunque también puede seguir a un cruce con fertilización en el que mueren los embriones que son reabsorbidos por el organismo de la madre durante la gestación. Se sabe que más de la mitad de las camadas concebidas se reabsorben de esta manera. Ese curioso "cambio de idea" del organismo de la coneja es perfectamente normal en la mayoría de los casos y parece ser un intento de la naturaleza por controlar la población. Un experto puede detectar una gestación palpando con cuidado el abdomen de la hembra ya en el noveno día después del cruce.

El parto

Las crías suelen nacer por la noche. Rara vez el amo puede observar el acontecimiento ya que dura de diez a treinta minutos y rara vez se presentan complicaciones que requieran la presencia del veterinario. A veces hay un espacio de horas o incluso de un día entre el nacimiento de una parte de la camada y el nacimiento del resto. Cada cría nace con su placenta que se come la madre, una inteligente medida de la naturaleza para no manchar el nido. La madre lava a sus crías lamiéndolas y éstas enseguida buscan los pezones maternos y empiezan a mamar. En caso necesario otra hembra puede encargarse de amamantar a los pequeños si los suyos son de la misma edad y el cambio se inicia antes de que tengan tres semanas.

■ En partos normales de hembras primerizas, aproximadamente el uno por ciento de las crías nacen muertas. La proporción de machos y hembras en la camada es del cincuenta por ciento.

■ Si se cruza a una hembra cuando está criando, puede quedar

Crías recién nacidas de conejos salvajes europeos.

¿Verdadero o falso?

Hasta mediados del siglo XVIII circulaban de vez en cuando informes, incluso de fuentes médicas solventes, de mujeres que daban a luz conejos. En 1726, Mary Toft de Godalming, en el sur de Inglaterra, logró considerable notoriedad por sus continuadas afirmaciones de que había dado a luz conejos. Mr St André, médico cirujano, experto en anatomía de la Casa Real, publicó un panfleto en apoyo de aquella historia, con grabados de los conejos "tomados del natural". Otros eminentes doctores apoyaron a la mujer. Al final, tras un reconocimiento exhaustivo, la señora Toft fue descubierta y confesó que todo había sido una patraña, pero durante un tiempo el conejo dejó de aparecer en muchas mesas.

gestante si la camada era pequeña, pero si está amamantando a una camada grande (el tamaño depende de la raza), se interrumpe la gestación a los cinco días más o menos.

■ Aumenta gradualmente el alimento de una hembra gestante para que, al llegar el parto, tome tres veces la ración normal. Es buena idea colocar un estante en el compartimento de cría para que la madre pueda tomarse de vez en cuando un respiro de sus insaciables pequeños.

■ Desarrollo de las crías

Cuando nacen, las crías están indefensas; tienen los ojos y las orejas cerrados, y una pelusilla en vez de pelo. Al final de la primera semana de vida, les empieza a salir pelo; a los diez días abren los ojos; a los doce días abren las orejas; y a los dieciséis o dieciocho días empiezan a abandonar el nido y a tomar comida sólida.

■ **Nota:** No toques a las crías antes de que empiecen a salir del nido. La madre podría matarlas. También la hembra puede matar a sus crías si tiene poca leche y a veces por razones psicológicas que aún no se conocen.

■ Lactancia

■ Las crías maman durante seis a ocho semanas y después del destete hay que ponerlas por parejas o colonias, aunque es preferible colocar a los machos jóvenes por separado desde los tres meses para evitar peleas. Es posible criar a un conejo con biberón, pero la leche de vaca no es lo bastante rica ya que contiene sólo un cuatro por ciento de proteínas, mientras la de coneja tiene un diez por ciento.
■ **Leche maternizada.** Para fabricar leche adecuada, hay que añadir a la leche de vaca más proteínas, en forma de 15 g de caseinato de calcio por cada 280 g de leche. Esta mezcla sirve hasta que las crías tienen siete días y luego hay que aumentar el caseinato a 17 g por cada 280 g de leche. A los catorce días, hay que volver a aumentar el caseinato a 20 g. El caseinato se mezcla con la leche batiéndolo en la batidora y se conserva varios días en la nevera. Los biberones se darán cada 3 horas, empezando a las 6 h de la mañana y terminando a medianoche. La leche se calentará a la temperatura de la sangre antes de dársela y se le administrará a la cría con una pipeta o, mejor aún, con un biberón de juguete con tetina.

Vida reproductiva

Los conejos son sexualmente adultos a los cuatro meses (las razas pequeñas) o seis meses (razas grandes). No los cruces por primera vez hasta que la hembra tenga por lo menos seis meses (razas pequeñas) o diez meses (razas grandes). Los machos tienen una vida reproductiva activa de 3 a 4 años. A las hembras se las debe retirar de criar cuando tienen 2 o 3 años. La esperanza de vida de los conejos es, por término medio, de 6 a 7 años, aunque el récord de longevidad lo detenta una hembra que llegó ¡a los 18 años!

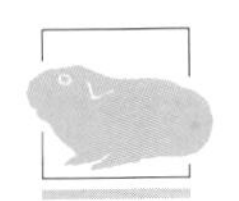

Cobayas

Las hembras de cobaya son sexualmente maduras a las cuatro o cinco semanas de haber nacido. Los machos son fértiles algo después, a las ocho o diez semanas. Si piensas criar, una buena edad para cruzar a una hembra es cuando tiene de doce a trece semanas, cuando tiene aún flexibles los huesos de la pelvis y se pueden "dar de sí" fácilmente en el parto.

Cruces

La cobaya hembra puede convivir libremente con el macho mientras no esté gestante. Se puede poner una hembra y un macho juntos o hasta doce hembras y un macho en un grupo de cría. A diferencia de los hámsters, no hay instrucciones especiales de cruce para las pacíficas cobayas.

A una hembra gestante se le puede poner un nidal de unos 0,25 m^2 de superficie, forrado con hierba blanda o tiras de papel (no de periódico), pero no es necesario, siempre que tenga espacio suficiente en la jaula donde pueda hacer su nido.

Estas criaturas sociables son felices en grupos e incluso después de un parto, es perfectamente correcto, siempre que haya espacio suficiente, dejar un grupo de madres con sus crías juntas en una especie de guardería común. Lo mejor, de todas formas, es quitar al macho, o machos, de las hembras si se sospecha que éstas estén

gestantes o en cuanto nacen los pequeños. Algunos amos dejan a un macho permanentemente con varias hembras y en estas colonias crecientes rara vez surgen peleas o conflictos, pero el continuo aumento de población puede dar origen a epidemias si no se dispone de mucho espacio. En esos sistemas comunales, cada hembra necesita un espacio mínimo de 1300 cm^2 de suelo. Algunos expertos opinan que el tamaño ideal de una colonia es de un macho por doce hembras.

El cortejo

Antes de cruzarse, se produce el cortejo típico de las cobayas (y de algunos otros roedores como chinchillas, agutíes, coypúes y puercoespines). El macho mueve sus cuartos traseros, sacude el cuerpo y da saltos bruscos. También rocía de orina a su pareja.

Estro

La hembra tiene un ciclo estral de cinco a seis días y está "en celo" solamente unas horas. Una vez se han cruzado, la hembra ya no acepta al macho. El estro suele producirse poco después del parto de una camada y no es perjudicial que la hembra vuelva a cruzarse entonces.

Gestación

En la cobaya dura de 59 a 72 días con un promedio de 63 días. El tamaño de las camadas es de una cría a trece, con un promedio de cuatro. Cada año nacen dos o tres camadas en condiciones favorables, y la madre amamanta a las crías de dos a tres meses. Las cobayas salvajes producen sólo una al año con únicamente una o dos crías, pero esas crías empiezan a alimentarse solas cuando tienen un día de vida.

Hámsters

Las hembras de hámster suelen ser adultas a las seis u ocho semanas aunque algunas hembras han quedado gestantes a las cuatro semanas de edad. Si quieres criar hámsters, utiliza hembras jóvenes, mejor que tengan menos de ocho meses. Un buen momento es cuando tienen alrededor de dos meses. La gestación es la más corta de todos los mamíferos que producen animales totalmente desarrollados: de 15 a 18 días. En un año se pueden producir varias camadas, cada una de cuatro a doce crías de promedio.

■ El cruce

El ciclo estral (celo) dura unos cuatro días. Para comprobar si una hembra está en celo, ponla en un recipiente, como un barreño grande forrado de papel, o incluso un cubo, e introduce un macho. Si ella está en celo, aplastará el espinazo y se arqueará hacia abajo para aceptar al macho. No los pierdas de vista por si surgiera una pelea. Si la pareja se lleva bien, déjalos juntos de 15 minutos a una

Las crías de hámster maman de su madre durante tres o cuatro semanas antes de tomar alimento sólido.

hora, pero sigue alerta por si acaso. Si ella no aplasta el espinazo cuando lleven juntos como 10 minutos, vuelve a ponerla en la jaula y repite el proceso al día siguiente.

- **Una falsa gestación** se produce a veces y dura de 8 a 10 días.

Gestación

Deberás poner la jaula de la hembra en un lugar tranquilo cuando esté gestante. Pon sobre la parte de la jaula donde esté el nido un trozo de metal o de plástico. El mejor material para el nido en la jaula de cría son tiras de papel de no más de medio centímetro de ancho: es limpio y no molesta a las crías.

El parto

Es un proceso normalmente sin problemas que se produce de noche. La madre amamanta a sus crías durante tres o cuatro semanas. Asegúrate de que durante la gestación y la lactancia, la madre disponga de toda la comida que necesita.

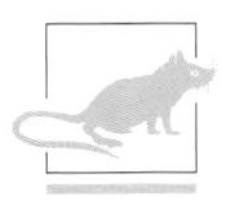

Jerbos

En estado salvaje, los jerbos se organizan en grandes grupos sociales que comprenden de uno a tres machos adultos, de dos a siete hembras adultas y varios jóvenes y pequeños. Viven todos juntos en una madriguera celosamente guardada, expulsando a cualquier jerbo extraño que asome, con una excepción que permite a los jerbos no practicar una peligrosa endogamia. Las hembras abandonan el grupo cuando tienen el celo, visitan otra madriguera en la que les permitan entrar, se cruzan y regresan a su comunidad. Las crías que nacen entonces no están al cuidado de su madre y padre sino de su madre y "tíos".

Este jerbo hembra lleva una cría a su nidal.

El cruce

Los jerbos domésticos pueden criar en cualquier época del año, aunque su mayor actividad sexual se desarrolla en verano. Si decides cruzar a una pareja de jerbos, es mejor hacerlo antes de que sean sexualmente maduros, a las nueve o diez semanas, y utiliza una pareja de la misma camada. Los jerbos no emparentados, sobre todo los adultos, pueden luchar denodadamente –hasta la muerte incluso– y para cruzarlos se requiere mucho cuidado, vigilancia y paciencia por parte del amo que primero dispondrá unos breves encuentros que podrá ir ampliando conforme pasen los días.

■ Estro y gestación

Las hembras de jerbo tienen el celo cada cuatro a diez días hasta que cumplen de 15 a 20 meses. Durante su vida reproductiva una hembra puede tener hasta diez camadas (una cada 30 a 40 días) con una camada media de cinco crías. Si se cruza a una hembra en su primer celo después de un parto, cuando está amamantando a más de dos crías, la consiguiente gestación se alarga mediante un mecanismo fisiológico llamado implantación retardada. Esa gestación prolongada puede durar hasta 42 días. Normalmente la gestación dura 24 o 26 días.

■ Si la hembra no queda gestante después de cruzarse, puede tener una falsa gestación que le dura de 14 a 16 días.

■ La dieta en la gestación

Cuando la hembra está gestante (puedes pensarlo si la has visto cruzarse o si oyes el golpeteo rítmico del jerbo macho sexualmente excitado), elimina de su dieta todo lo que engorde, como pipas de girasol, y aumenta la cantidad de proteínas añadiendo a su comida un poco de leche en polvo.

■ El parto

No es necesario ponerle un nidal a la hembra gestante, pero sí más material como papel blando, que ella usará para construir el nido. No es preciso retirar al macho cuando se produzca el parto. Los jerbos son monógamos y el macho no suele hacer daño a las crías.

■ Sobreviven alrededor del setenta y cinco por ciento de las crías: las más débiles nacen muertas o mueren a los pocos días. No te preocupes, es natural y casi todas las crías que mueren tienen alguna tara congénita.

■ A veces las madres matan a sus crías y se las comen o las abandonan. Puede ser debido al estrés de una preocupación excesiva, de la superpoblación o de una enfermedad en las mamas de la madre. Menos frecuente es que los machos se coman a las crías (¿por celos?) y por lo general son buenos padres.

- Los bebés jerbos nacen sin pelo, sordos, ciegos y sin dientes, pero crecen a velocidad asombrosa y por eso hay que aumentar la cantidad de comida de la madre inmediatamente después del parto. El pelo les empieza a salir a los seis días y abren los ojos a los 10 o 12 días.
- Las crías empiezan a tomar alimento sólido de los 16 a 20 días y son destetadas a los 21 o 24 días.
- Una vez destetados, los jóvenes pueden seguir en la jaula de sus padres, pero hay que separarlos por sexos a las 8 semanas, poniendo a machos y hembras en jaulas distintas para que no sigan reproduciéndose.

Estas crías de jerbo de dos semanas pronto estarán listas para tomar alimento sólido.

Ratones y ratas

Ratones

Se pueden dejar juntos a ratones machos y hembras permanentemente durante toda su vida reproductiva. El celo de la hembra se produce cada cinco días aproximadamente. Los ratones son sexualmente adultos a las seis u ocho semanas. La gestación dura de 20 a 21 días, pero puede durar 28 días si se cruza la hembra en el primer celo después de un parto. Las camadas suelen ser de 7 crías, pero pueden llegar a 20. (La mayor camada de un mamífero salvaje fue de 32 crías que tuvo un ratón hembra en 1961.)

Ratas

Las ratas hembras se deben poner en una jaula aparte al menos una semana antes del parto. Las ratas son sexualmente adultas a los 40 o 60 días. El celo dura de 4 a 5 días. La gestación de las ratas dura

Es muy importante no tocar a las crías de roedor en sus dos primeras semanas de vida.

Cuidado

Las ratas y ratones amamantan a sus crías unas tres semanas. No toques nunca a las crías ni cambies la cama hasta que haya pasado al menos una semana después del parto, mejor incluso deja pasar dos semanas. A las dos semanas más o menos, los ratones alcanzan la edad llamada "de la pulga" y, cuando se les molesta, saltan por el aire asustados.

de 21 a 23 días. Las camadas suelen ser de 11 crías, pudiendo llegar a 16.

Olor y fertilidad

Los olores que contienen hormonas sexuales (feromonas) son muy importantes en la vida sexual de los ratones. Cuantas más hembras estén en un recinto, más infértiles serán; el "olor sexual" de una, reduce la fertilidad de las demás. Los olores de los machos actúan a la

inversa, pero sólo si el olor procede de la pareja de la hembra de ratón. La infidelidad, es decir la llegada de un macho extraño, no sólo sigue bloqueando la fertilidad de la hembra, sino que también acaba con la vida de los embriones que lleve en su vientre. ¡Una Providencia puritana impide cualquier devaneo entre la grey ratonil!

Lactancia artificial

- Rara vez hay que recurrir a la lactancia artificial, pero puede ser necesario cuando las crías no destetadas quedan huérfanas o la madre desarrolla una mastitis o agalactia (ausencia de leche). Naturalmente, en algunos casos a las crías las puede adoptar otra madre que tenga crías más o menos de su edad.
- Si la madre no acepta a las crías extrañas, prueba a untar ligeramente de ungüento mentolado el hocico de la madre adoptiva y los cuerpos de las crías. El mentol oculta el olor "extraño" de los recién llegados.
- A veces hay que recurrir a la lactancia artificial. Normalmente sirve la leche en polvo para gatos que venden en las tiendas de mascotas. Mézclala con agua como para gatos, siguiendo las instrucciones del envase, y dásela con un cuentagotas para ojos o con una jeringuilla hipodérmica (para insulina) que encontrarás en farmacias (sin aguja, naturalmente).
- Dales poca leche y con frecuencia, lo suficiente para que se les llene el estómago y juzga los resultados pesando a las crías, si tienes un peso de escala pequeña.
- Empieza a destetarlos a la edad adecuada (ver más arriba) poniéndoles pan integral remojado en leche o una papilla de avena ligera.
- Mantén las crías al calor, mejor con una bombilla de infrarrojos (del tipo de las que se usan en cuartos de baño o en granjas) encima de ellas, a una distancia no inferior a 1 m, o utiliza una almohadilla de calor envuelta en una mantita.

Cuidados generales

Higiene

Es fundamental para que las mascotas estén sanas y vivan mucho, y para controlar olores desagradables.

- Hay que cambiar la suciedad del lecho que cubre la jaula dos veces por semana (a diario para hembras con crías).
- Hay que cambiar el lecho por otro limpio una vez a la semana, excepto cuando haya crías sin destetar en el nido.
- Hay que limpiar los cuartos traseros del animal al cambiar la cama y utilizar un aerosol desinfectante suave para animales y airearlo o ventilarlo. No utilices nunca desinfectantes de tipo ácido fenolcarbónico. Compra en la tienda de mascotas el desinfectante adecuado, o utiliza los llamados anfolíticos o los que se usan para desinfectar vasos.
- En verano, hay que frotar las jaulas de conejos y cobayas con agua caliente y un desinfectante suave, aclararlas y dejarlas secar bien mientras sus ocupantes están fuera.

Angustia en los roedores

Observa si tus roedores presentan síntomas de angustia. Algunos ruidos, incluidos los muy agudos que no percibe el oído humano, pueden afectar a estas criaturas. La fuente puede ser un ordenador, el teléfono o el mando a distancia del televisor. Si notas que alguna de estas cosas molesta a tus roedores, coloca su jaula lo más lejos posible de la fuente de ruido.

El aseo

Conejos. Con una sola excepción, no es necesario cepillarlos, se asean ellos. Pero tampoco es malo cepillar al conejo si a él y a ti os gusta. Además así el animal se vuelve más manso, se deja coger y se le ayuda en el proceso de la muda a finales de invierno. La excepción es el conejo de Angora, de finísimo pelo largo. A este conejo se le debe cepillar a diario con un cepillo suave, en la dirección natural del pelo.
Cobayas. No es esencial cepillarlas, pero a algunas de pelo largo se las puede cepillar con un cepillo pequeño y muy suave.

■ Limpiar a diario los recipientes de agua y comida, mejor meterlos en el lavavajillas en un programa caliente o escaldarlos con agua hirviendo.

■ Juegos y cepillado

Coge a tu mascota y juega con ella al menos cuatro o cinco veces por semana. Dale trocitos de comida con la mano y cepíllala suavemente con un cepillo blando. El cepillado es aconsejable pero no imprescindible para la mayoría de estos animales. Es importante para razas de pelo largo como los conejos de Angora o la cobaya Peruana y para cualquier individuo que tenga el pelo sucio o manchado. Los cepillos para gatos son ideales para conejos y cobayas. Las manchas y zonas pegajosas se pueden quitar con un paño húmedo, o con un aerosol de los que se usan para limpiar las plumas de los pájaros, que se vende en tiendas de mascotas.

■ Determinar el sexo

Ni que decir tiene que lo principal, si quieres cruzar a tus mascotas, es saber si son machos o hembras; no es siempre fácil si son jóvenes. Esto es lo que debes hacer.

Conejos

Los machos tienen un orificio genital redondo. Con una suave presión alrededor de él, se hace salir el pene. Las hembras tienen una abertura genital alargada.

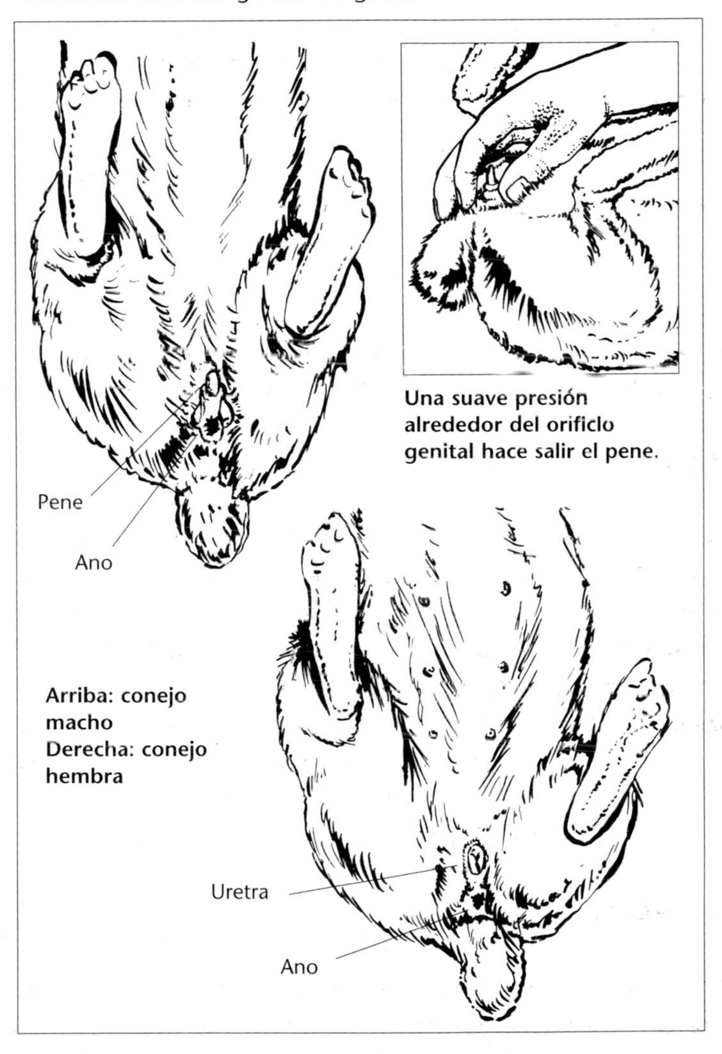

Una suave presión alrededor del orificio genital hace salir el pene.

Arriba: conejo macho
Derecha: conejo hembra

Cobayas

Los genitales de las cobayas machos y hembras son muy parecidos a primera vista. Pero presionando ligeramente a ambos lados del orificio genital, sale el pene en el macho.

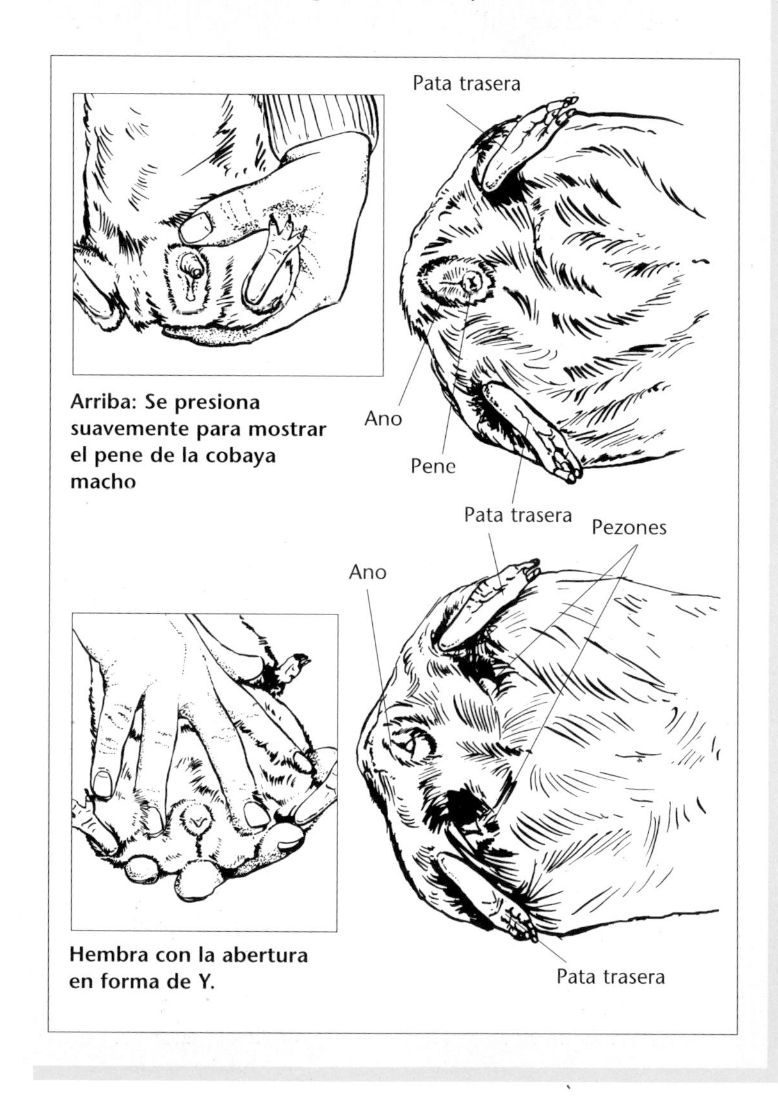

Arriba: Se presiona suavemente para mostrar el pene de la cobaya macho

Hembra con la abertura en forma de Y.

Hámsters

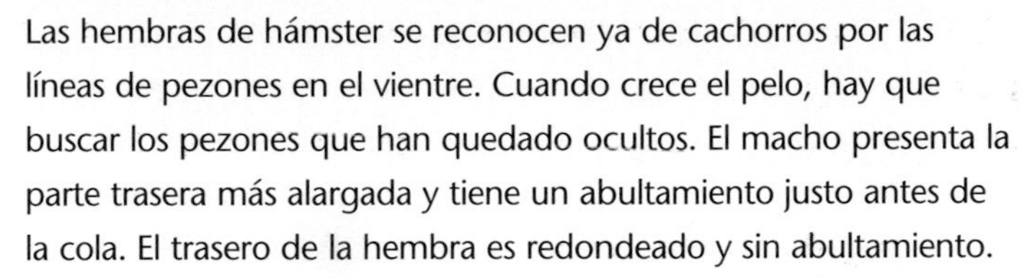

Las hembras de hámster se reconocen ya de cachorros por las líneas de pezones en el vientre. Cuando crece el pelo, hay que buscar los pezones que han quedado ocultos. El macho presenta la parte trasera más alargada y tiene un abultamiento justo antes de la cola. El trasero de la hembra es redondeado y sin abultamiento.

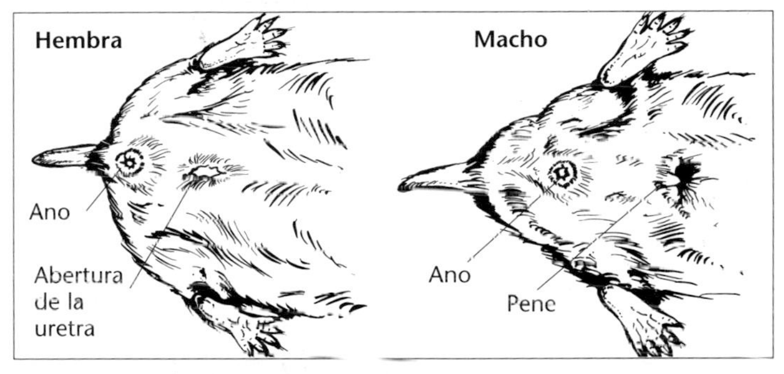

Jerbos

Para examinar los genitales del jerbo, no le vuelvas boca arriba; levántale del suelo (ahora es cuando puedes hacerlo) pinzándole brevemente de la base de la cola. Los machos presentan un escroto alargado de color oscuro bajo la cola mientras las hembras tienen una pequeña vagina cerca del ano

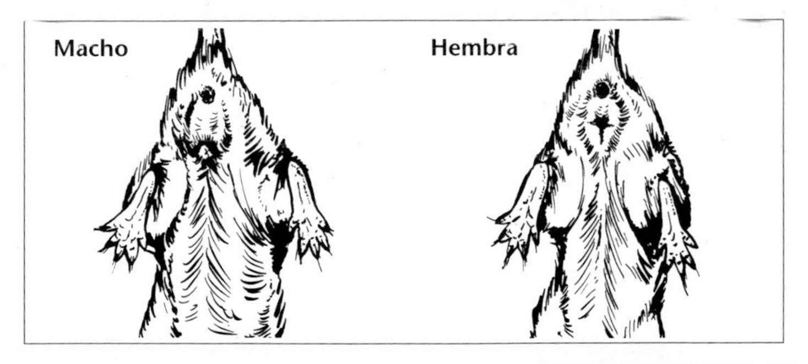

Ratas

La distancia entre el ano y la pequeña abertura genital es bastante mayor en los machos que en las hembras (por ejemplo a las 3 semanas, 1,25 cm frente a menos de 1 cm). Además se nota un ligero abultamiento, incluso en los machos jóvenes, en el lugar donde se encontrará el escroto.

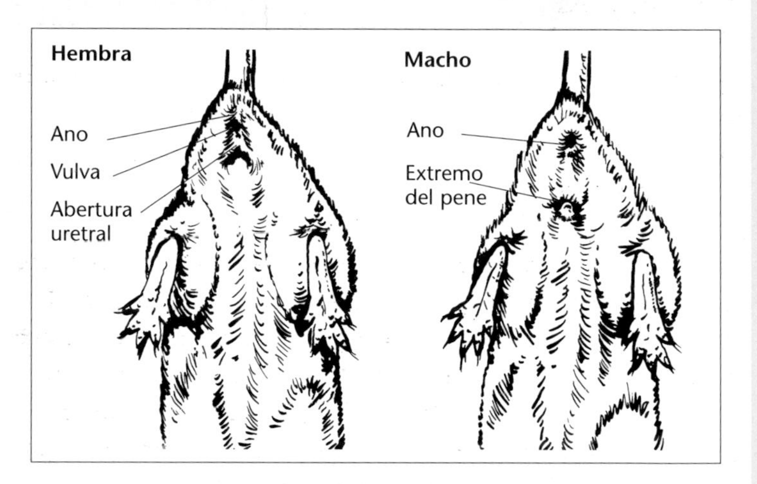

Ratones

En los ratones, como en las ratas, la distancia entre el ano y la pequeña apertura genital es mayor (al menos dos veces más) en los machos que en las hembras. Con una suave presión alrededor del orificio se hace salir el pene en los machos.
En ratones muy jóvenes determinar el sexo es más difícil. A las dos o tres semanas de vida, las hembras tienen diez pezones que son claramente visibles en sus vientres sin pelo. A las tres o cuatro semanas de edad, tirando suavemente de la piel trasera de la panza de los machos hacia la delantera, provocaremos que los testículos desciendan hacia el escroto.

Cuando la mascota enferma

Conejos

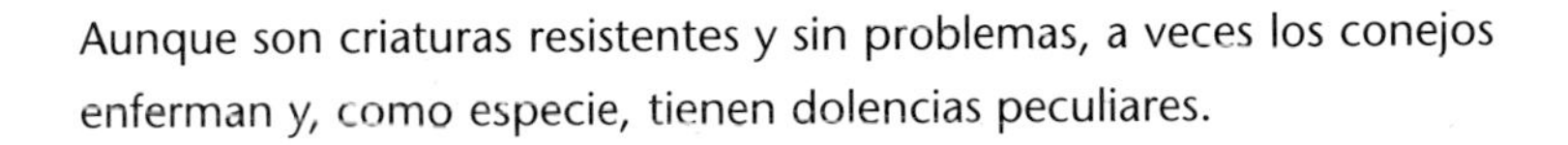

Aunque son criaturas resistentes y sin problemas, a veces los conejos enferman y, como especie, tienen dolencias peculiares.

Mixomatosis

Es sin duda la más conocida de las enfermedades de los conejos. Es una enfermedad vírica descrita por vez primera en conejos domésticos de Uruguay, en 1893. Al parecer el brote está muy extendido en los conejos de América del Sur que han desarrollado una resistencia relativamente fuerte frente a su ataque. Los intentos de controlar la población de conejos en Australia tuvieron éxito gracias a la introducción del virus, aunque pronto aparecieron razas resistentes a la enfermedad.

Lo que debe hacer el amo ante un conejo enfermo

Como con las demás mascotas, es fundamental solicitar ayuda profesional del veterinario ante un trastorno que no se entiende. Son muchas las enfermedades que pueden afectar a los distintos órganos y sistemas del conejo. La mayoría han sido estudiadas por los científicos y se ha encontrado remedio para ellas. Lo importante, en medicina, es el diagnóstico; luego cualquiera puede aplicar el tratamiento si sabe exactamente de qué se trata.

En 1953 se introdujo deliberadamente el virus en Francia y rápidamente escapó a todo control y se extendió por la población de conejos europeos no resistentes a la enfermedad, causando una mortandad cercana al cien por cien. Llegó a Gran Bretaña en octubre de 1953, afectando primero a las colonias de Kent y Sussex. Los conejos domésticos pueden verse afectados tanto como los salvajes, aunque no suele atacar a las liebres (excepto a la liebre azul de Irlanda), hámsters, jerbos, ratones, ratas o cobayas.

En Europa se extiende por la picadura de las pulgas de los conejos y de los mosquitos en Australia, y también por contacto directo o indirecto. Entre los conejos salvajes, la mixomatosis se extiende rápidamente en primavera durante la principal época de cría. La razón es el hecho curioso de que las pulgas de los conejos se reproducen solamente en las hembras gestantes de los conejos.

■ Síntomas

Tras un periodo de incubación de dos a ocho días, el animal presenta los síntomas de un resfriado, con inflamación del hocico, orejas, párpados y demás orificios del cuerpo. Aparecen ampollas blandas bajo la piel en todo el cuerpo. El animal está apático, pierde el apetito, adelgaza y por último muere al cabo de once a dieciocho días.

Tratamiento

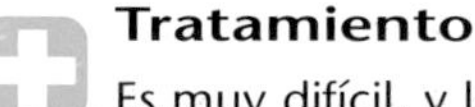

Es muy difícil, y los antibióticos sirven de poco.

Se puede prevenir vacunando y controlando las pulgas y demás insectos portadores. Los conejos domésticos no suelen correr peligro actualmente pero, si vives en el campo y entran en tu jardín conejos salvajes, deberás tomar precauciones como:

- Poner una alambrada de tela metálica de cinco mallas por centímetro alrededor de la conejera.
- Utilizar insecticidas y limitar las carreras del conejo cuando exista mixomatosis en la zona.
- Lo mejor es una vacuna de protección hoy disponible. Consulta con el veterinario.

Nota: poco a poco van apareciendo razas de conejos de campo resistentes a la enfermedad, aunque ésta sigue haciendo estragos.

Síntomas generales

He agrupado los síntomas generales de enfermedad en la sección siguiente con algunos comentarios sobre primeros auxilios, la opinión del veterinario y algo de historia.

■ Pérdida de peso

Puede obedecer a varias enfermedades, incluida la seudotuberculosis, quistes de tenia, coccidiosis u otras formas de infección crónica. El veterinario tomará muestras de excrementos para ver si tienen coccidios u otros parásitos. Si diagnostica coccidiosis, podrá recetar medicamentos como sulfamidas que se añadirán al agua de beber. Si la causa son bacterias, recetará antibióticos o bien inyectados o bien añadidos en el agua. Consulta cuanto antes con el veterinario.

■ Bolas de pelo

A veces la pérdida de peso acompañada de falta de apetito y quizá diarrea, se debe a la presencia de bolas de pelo en el estómago. Como ocurre con los gatos de pelo largo, un exceso de aseo por parte del conejo que se va tragando el pelo suelto, le produce una masa dura y pegajosa de pelo en el estómago. Hay que darle al animal una cucharadita de aceite mineral ("parafina líquida") y aplicarle un masaje suave en el abdomen para ablandar y deshacer la bola de pelo, pero, desgraciadamente, lo más frecuente es que haya que intervenirle quirúrgicamente (gastrotomía) bajo anestesia general.

Consulta con el veterinario

Se puede ahorrar mucho tiempo, sufrimiento y dinero en medicinas con sólo poner a un conejo enfermo en un bolso y llevarlo al veterinario. Muchas afecciones de los conejos requieren el mismo tratamiento (antibióticos, inyecciones, cirugía simple, etc.) que el que se aplica en situaciones parecidas a hombres, caballos, perros o elefantes.

■ Enfermedades de los dientes

Los conejos de campo rara vez van al dentista. No es que le tengan miedo al sillón del dentista, sino que ejercitan los dientes cortando hierba y demás plantas fibrosas y que eligen una dieta sana. Los conejos domésticos tienen una vida demasiado fácil. Con las dietas comerciales (de tiendas de mascotas), los conejos apenas tienen que masticar, y muchos amos les dan alimentos ricos en almidones y pobres en fibra. Tampoco faltan los desequilibrios o las deficiencias en vitaminas y minerales. El resultado es la formación de placa, de caries (cavidades), el debilitamiento y crecimiento excesivo de los dientes. Esto puede desencadenar algunas enfermedades secundarias potencialmente graves.

■ **Problemas dentales** son frecuentes en los conejos. Si sospechas que algo no va bien en la masticación del conejo, si le notas algún bulto en las mandíbulas o te parece que sus incisivos son demasiado largos, consulta con el veterinario. Las revisiones dentales y, en su

Cráneo del conejo

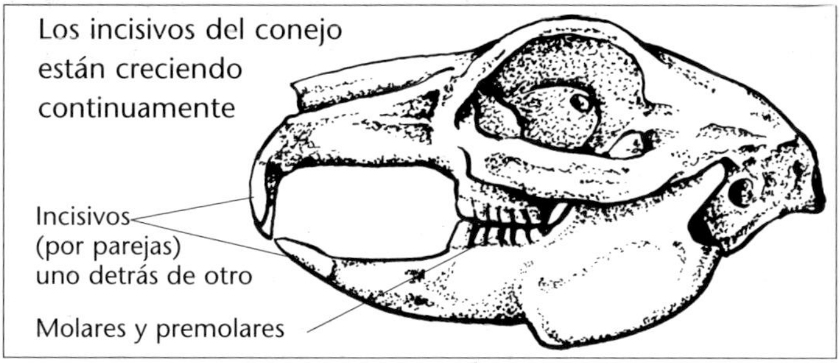

Los incisivos del conejo están creciendo continuamente

Incisivos (por parejas) uno detrás de otro

Molares y premolares

caso, el tratamiento pueden asegurarle una vida más larga a tu mascota. No trates de recortar unos dientes demasiado largos.

■ Estreñimiento

Si es leve y dura sólo uno o dos días, prueba a añadir media cucharadita de sales Epsom (sulfato de magnesio) al agua de beber, o compra un enema "Micralax" en la farmacia. Utiliza éste insertando la cánula en el recto del conejo hasta 1 cm, y luego apretando para que salga aproximadamente un tercio de la preparación.

■ A veces observarás una dolencia que corresponde a una oclusión intestinal. El intestino grueso (colon) se bloquea con excrementos duros y secos. Detrás de la obstrucción se forman gases, el vientre hinchado se vuelve doloroso y el conejo afectado está triste y deprimido pudiendo llegar a morir. La enfermedad se produce sobre todo en conejos a medio desarrollar en los meses de verano y quizá esté relacionada con el trébol de su alimentación. Como primera medida, puedes probar con un enema de "Micralax", pero debes acudir rápidamente al veterinario.

■ Diarrea

Puede deberse a una infección bacteriana, a veces a lombrices, a parásitos protozoos (coccidiosis) u otras causas. La coccidiosis es la causa más frecuente y se produce por lo general cuando no se observa la higiene debida (superpoblación, falta de limpieza, etc.).

■ **La enfermedad de Tyzzer**, causada por una bacteria (Bacillus piliformis), afecta a conejos, hámsters, jerbos, ratas y ratones y suele ser mortal. Sus síntomas son la inapetencia y la diarrea o, en su forma crónica, la pérdida de peso y vivacidad. Un tratamiento inmediato con antibióticos de tetraciclina puede aliviar la enfermedad aunque quizá no curarla.

Conejos con diarrea

- Se les debe dejar comer y beber a su antojo
- No hay que limitarles la ingestión de líquidos
- Como medida de primeros auxilios, sustitúyeles por una infusión de manzanilla el agua del bebedero
- Mantén caliente al enfermo
- Un diagnóstico preciso requiere la toma de muestras y excrementos para su análisis
- Si tuvieras la mala suerte de que muriera tu mascota, recuerda que un examen post mortem realizado por el veterinario puede ofrecer una información valiosa, sobre todo si otros animales pueden verse afectados.

Infección por salmonella

Esta infección suele producirse por alimentos o lechos contaminados por roedores o por contacto con animales portadores de la bacteria (quizá sin síntomas). Puede provocar la muerte, sobre todo en conejos jóvenes. Los conejos domésticos a veces presentan como únicos síntomas de salmonelosis diarrea y falta de vivacidad.

Enteritis mucoidea

Es otra causa frecuente de diarrea. Suele combinar diarrea con adelgazamiento grave, pero no se conoce bien y puede deberse a un virus. Afecta a conejos de cualquier edad y suele ser mortal en cachorros y a veces en adultos.

Tratamiento: No existe un tratamiento seguro para la enteritis mucoidea. Otras formas de diarrea requieren medicamentos antiparasitarios, anticoccidiales o antibióticos.

Resfriados

Si tu mascota parece resfriada o con catarro, puede deberse a una enfermedad bastante corriente llamada "moquillo". En su forma más aguda puede no manifestarse más que por mucosidad nasal, fiebre y

Arriba: Uñas excesivamente largas.

Arriba: Uñas adecuadamente recortadas.

Excesivo crecimiento de las uñas

Si las uñas de un conejo presentan un crecimiento excesivo, hay que recortarlas. Es preferible que lo haga el veterinario, sobre todo en el caso de conejos de color oscuro, con las uñas oscuras. Si te crees capaz de recortar unas uñas de color claro, utiliza cortaúñas para animales, que encontrarás en tiendas de mascotas –son mejores que los de humanos–.

Deberás poder ver a través de la uña traslúcida el centro rosa. En él se encuentran los vasos sanguíneos y nervios. Corta al menos 1 cm por delante del extremo de ese centro.

Temperatura

Quizá quieras tomarle la temperatura a tu mascota. Lo puedes hacer insertando en el recto un termómetro clínico de extremo fuerte.
La temperatura normal de un conejo sano está entre 38,6 ºC y 40,1 ºC (más alta que el hombre), con una media de 39,4 ºC. Pero recuerda que la excitación y el tocar o coger al conejo pueden hacer subir su temperatura.

una muerte bastante rápida. La forma leve se manifiesta por estornudos sin más. Las causas son dos bacterias llamadas Pasteurella y Brucella.

Tratamiento. Requieren tratamiento por parte del veterinario; éste recetará un antibiótico de amplio espectro (uno de ellos, lincomycina, es tóxico para los conejos y no se puede utilizar) y, en casos crónicos, puede recetar gotas para la nariz. No tardes en acudir al veterinario, evitarás que degenere en neumonía. Mantén caliente al animal.

Enfermedades de la piel

Aparte de algunos bultos y abultamientos (ver página 111), existen varias enfermedades de la piel propias de los conejos, incluida la sífilis del conejo. No se contagia a los humanos o a otros animales y es frecuente en conejos domésticos. Se presenta en forma de úlceras que supuran en la zona genital, en los labios, párpados y hocico. Una ulceración grave puede obstruir el paso de la orina y los excrementos y, si el germen se extiende a órganos internos, el conejo puede morir. La bacteria causante de la sífilis del conejo es parecida a la que produce la sífilis en el hombre y responde a inyecciones de penicilina o de otros medicamentos antisifilíticos.

■ **La tiña,** la sarna, varias clases de bacterias y el virus de la viruela también pueden afectar a la piel del conejo. En todos los casos debe ser el veterinario quien emita el diagnóstico tras tomar varias muestras para análisis, en su caso, y quien recete los tratamientos específicos para cada caso. La tiña suele proceder de ratas y ratones, por lo que debes asegurarte que los jaulones y conejeras estén construidos a prueba de roedores. Por lo general se cura con medicamentos que se añaden a la comida del conejo.

■ **La pérdida de pelo y "eczema húmedo"** de la piel en la parte inferior de las patas traseras, sobre todo bajo los "corvejones", o en la zona ventral, se debe a un suelo inadecuado (de malla, por ejemplo) o a falta de lecho limpio o a un suelo continuo sucio y mojado. Las bacterias penetran en las rozaduras de la piel y se produce una infección. Para que se cure el animal, es fundamental mejorar la conejera y su mantenimiento.

Tratamiento. Las cremas antibióticas y antisépticas y las gasas ayudan a curar el trastorno.

■ **Las úlceras en las orejas**, son la forma de sarna más frecuente en el conejo. Se le forman escamas y costras marrones oscuras o claras en la oreja. El animal se rasca las orejas con las patas traseras.

■ **Prevención.** Limpiar con regularidad (una vez al mes) las orejas con algodón mojado en aceite de oliva templado para mantenerlas limpias.

Pulgas

A veces los conejos, sobre todo si se tienen en el exterior, y en época de calor, pueden llenarse de pulgas. Estos parásitos les producen irritaciones y picores. A veces se ve un polvillo negro (excrementos secos de las pulgas) en la piel, al separar el pelo del animal.

Tratamiento: aplicación de insecticidas para gatos en aerosol o en polvo. Como los huevos de las pulgas caen de la piel del conejo y quedan en el lecho o rendijas del suelo de la jaula, permaneciendo allí incluso meses antes de eclosionar, hay que limpiar perfectamente la conejera y tratarla con un aerosol especial que destruye las larvas de pulgas en el ambiente y dura varios meses. Lo encontrarás en el veterinario.

■ **Las sarnas** de cualquier tipo las causan unos ácaros diminutos que perforan la piel. Se combaten fácilmente con las actuales preparaciones antiparasitarias, pero en cuanto se diagnostique una enfermedad de la piel, debes aislar al animal afectado de los demás y desinfectar perfectamente la conejera y el jaulón.

Tratamiento. El veterinario recomendará un baño medicinal si el conejo tiene el cuerpo afectado. No es perjudicial bañar a un conejo siempre que se use agua templada y se le seque luego bien con una toalla suave y/o secador. Para problemas localizados, se utilizan aerosoles especiales. En las orejas se aplican gotas.

■ **Bultos.** Si el conejo presenta uno o más bultos en la piel, no te asustes y creas que es mixomatosis. Es muy probable que las causas sean otras. A veces se produce una inflamación en la mandíbula o inflamaciones en la cabeza y cuerpo. No suelen ir acompañadas de falta de apetito, al menos al principio, y el animal parece estar normal. La causa suelen ser abscesos, causados por distintos tipos de bacterias que llegan a través de la sangre o de una picadura. A veces se deben a una chinche causante de las enfermedades de las pezuñas en las ovejas y que vive normalmente en la piel de los conejos sanos. A veces los bultos son tumores. La mayoría se operan si se cogen a tiempo.

Nota: Todos los bultos deben ser vistos por el veterinario. Algunos se sajan o eliminan con anestesia local o aerosol frío, y luego se suele aplicar una inyección de antibiótico. Acude cuanto antes al veterinario.

■ Otras dolencias

■ Enfermedad del oído medio

Si el conejo inclina la cabeza de lado y luego desarrolla una tendencia a desplazarse en círculos, es posible que tenga una infección en el oído medio. Esta enfermedad suele ir asociada con un ataque reciente de "moquillo", quizá tan leve que sólo se manifestará por moqueo y lagrimeo. La causante suele ser la bacteria Pasteurella y el tratamiento consistirá en una aplicación prolongada de antibióticos de amplio espectro. Los casos crónicos, sobre todo si afectan también al oído interno, suelen ser difíciles de curar.

■ Problemas en los ojos

Los trastornos de ojos más frecuentes son los ojos llorosos, legañosos, quizá enrojecidos, a uno o ambos lados. La causa puede ser una lesión leve, una infección debida a un mosquito o el moquillo.

Tratamiento. Lava los ojos con cuidado con agua templada a la que habrás añadido un poco de sal, limpiando las costras que se hayan formado en el párpado, y aplica ungüento Golden Eye, que encontrarás en la farmacia. Si el trastorno persiste más de 48 horas, consulta con el veterinario. Puede recetar preparaciones oculares antibióticas.

■ Mastitis

La inflamación e irritación de las mamas de la hembra, suele indicar

Enfermedades menos comunes

Existen otras muchas enfermedades, menos frecuentes, en los conejos. Incluso pueden tener apendicitis, ya que el conejo es uno de los pocos animales, aparte del hombre, que tiene apéndice.

■ En los últimos diez años ha aparecido una enfermedad que afecta a los conejos, el virus hemorrágico o calcivirus del conejo, que se ha extendido desde China hasta Europa y América Central. Los conejos domésticos que estén en contacto, directo o indirecto, con conejos de campo tienen más riesgo de contraerla. Existe una vacuna que protege al animal de esta enfermedad que podría matarle en un par de días.

mastitis. Se produce sobre todo cuando no se cuida el mantenimiento y cuando se desteta a las crías de forma repentina a, por ejemplo, las tres o cuatro semanas, en lugar de las siete u ocho habituales.

Tratamiento. Baña las mamas inflamadas frecuentemente con agua templada y acude al veterinario. Probablemente haya que aplicar antibióticos de amplio espectro.

Parálisis

La pérdida de función, o parálisis de los cuartos traseros, puede deberse a unos esfuerzos violentos del animal mientras le cogías o a otra forma de lesión. Es grave y requiere atención veterinaria inmediata, incluido un examen por rayos X. El tratamiento médico es eficaz sólo en algunos casos, pero si no se observa mejoría a las tres semanas, el pronóstico es pesimista.

Resumen

Si compras animales sanos, les ofreces una vivienda en condiciones, la mantienes limpia, y ofreces a tus mascotas una dieta equilibrada, rara vez acudirás al veterinario.

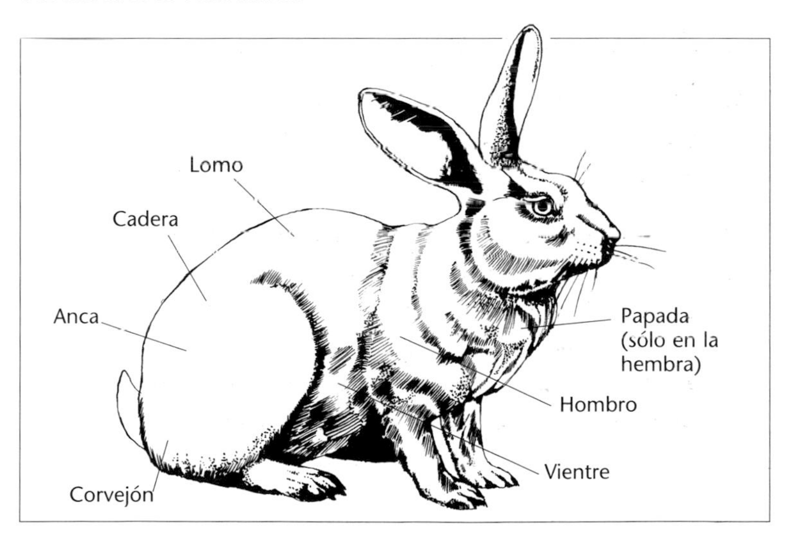

Cobayas

Las cobayas enferman de vez en cuando, sobre todo si están apiñadas o se descuida la higiene. Gérmenes y parásitos proliferan en el entorno y aparecen diarreas, neumonías, resfriados, debilitamiento y pérdida de peso, que a veces son fatales en poco tiempo. La comida y lecho contaminados por orina y excrementos de roedores salvajes pueden provocar infecciones graves como salmonelosis.

■ Acudir al veterinario

Si enferma una cobaya, llévala inmediatamente al veterinario; el diagnóstico, a veces con análisis de laboratorio, irá seguido de un tratamiento de inyecciones o de medicinas disueltas en el agua del bebedero. El veterinario no suele recetar penicilina a las cobayas; curiosamente es venenosa para ellas. Otros antibióticos peligrosos son la bacitracina, la ampicilina, la estreptomicina, la lincomicina, la eritromicina y la tetraciclina.

■ Trastornos de la dentición

Igual que los conejos (ver pág. 106).

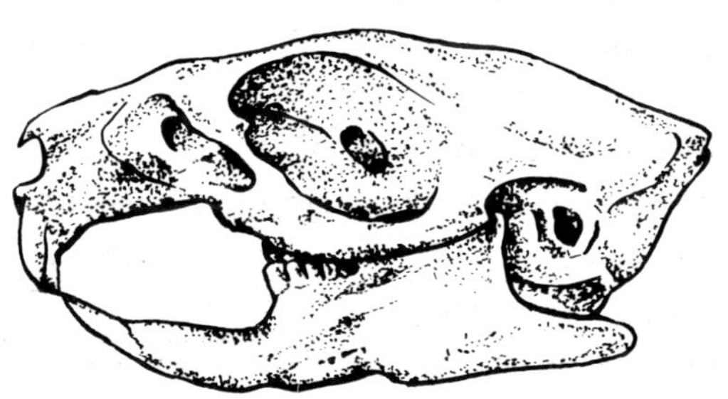

Los incisivos de las cobayas crecen constantemente.

Excesivo crecimiento de uñas

Es preferible que sea el veterinario quien le corte a la cobaya las uñas. Pero si te sientes capacitado para cortárselas, consulta en la pág. 108 las instrucciones y procede como para el conejo.

Pulgas

A veces las cobayas cogen pulgas. Si sospechas que tu animal pudiera tenerlas, en la pág. 110 encontrarás consejos para su tratamiento.

■ Diarrea

Las cobayas presentan enfermedades parecidas a los conejos (ver pág. 107). También tienen tendencia a la seudotuberculosis, una enfermedad bacteriana que suele producir diarrea y pérdida de peso, muriendo el animal al cabo de 2 a 4 semanas. También existe una forma aguda que provoca la muerte en uno o dos días. Estos casos requieren consulta urgente al veterinario. La diarrea en las cobayas también suele deberse a los cambios en la dieta o a estrés ambiental; algunos antibióticos les producen diarrea y una enteritis mortal.

■ Enfermedades de la piel

Suelen deberse a piojos o ácaros y se controlan con aerosoles o polvos insecticidas que se compran en tiendas de mascotas; hay que eliminar todo el lecho y desinfectar la jaula de los animales. Las afecciones rebeldes pueden obedecer a otras causas, como hongos, y requieren atención del veterinario.

■ Las cobayas a veces se arrancan pelo con los dientes a sí mismas o a otras. En este caso conviene cambiar la jaula o, al menos, el material del lecho. Es frecuente que las cobayas gestantes presenten calvas al final; no se conoce la causa pero el pelo les vuelve a crecer normalmente cuando alumbran.

■ Patas

Al igual que los conejos, las cobayas pueden padecer inflamaciones e incluso úlceras en las patas si tienen el suelo áspero, húmedo o sucio. Se recomienda cambiar el suelo y poner un lecho más mullido, pero conviene que lleves al animal al veterinario para que indique un tratamiento a base de antibióticos y corticosteroides. A veces tarda mucho en curar.

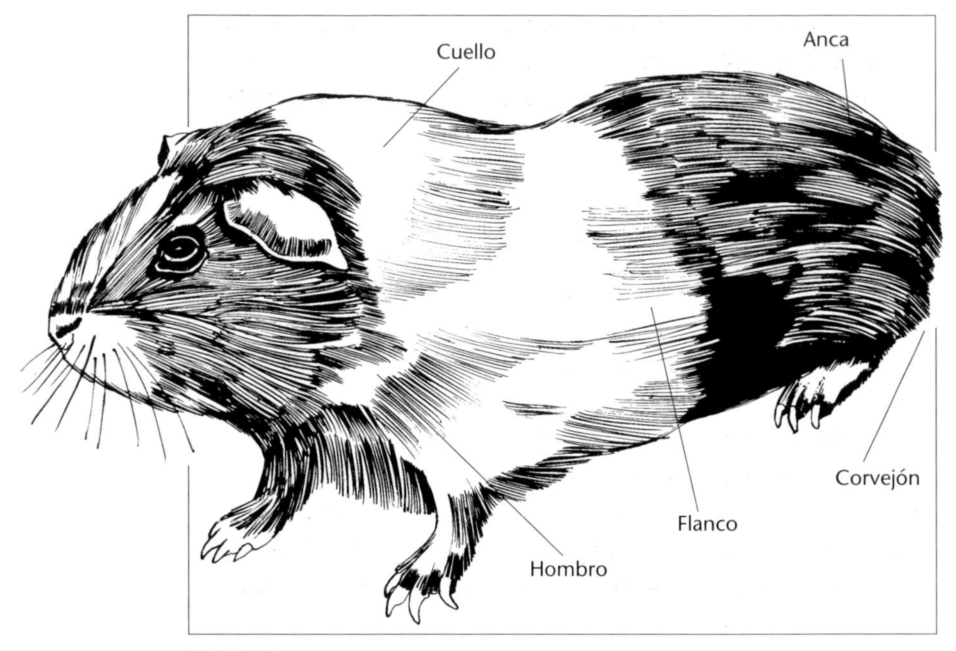

Bultos

Muchos de los que le encuentres bajo la piel son abscesos o nódulos linfáticos infectados ("glándulas"). Requieren tratamiento veterinario como para los conejos (ver pág. 111).

Otras enfermedades

Son frecuentes los problemas en las gestaciones y en los partos, que a veces terminan en muerte. Procura no esperar a que la hembra tenga más de cuatro meses para cruzarla por primera vez (ver pág. 87). Los problemas en la gestación suelen deberse a un heno de mala calidad. Es fundamental que le proporciones a la gestante mucho heno de la mejor calidad.

Toxemia de la gestación

Esta enfermedad se desarrolla en la última o dos últimas semanas de gestación o en los cinco primeros días después del parto. La madre no come, está deprimida y respira con fuerza. Los animales gruesos son más propensos, por lo que no debes sobrealimentarlos. Es una enfermedad de evolución rápida, difícil de tratar y que suele terminar en muerte. Es fundamental que el veterinario vea al animal ante la primera señal de alarma.

■ Mastitis

Igual que los conejos (ver pág. 112).

■ Afecciones de los ojos

Igual que los conejos (ver pág. 112).

■ Deficencia de vitamina C (escorbuto)

Las cobayas necesitan mucha vitamina C regularmente. Si no, pierden peso y vitalidad, se les ensanchan las articulaciones y les duelen (por hemorragias internas), se debilitan, cojean y al final mueren. Los síntomas pueden presentarse incluso a las dos semanas de carecer de vitamina C.

Tratamiento. Consiste en administrar por boca 100 mg de vitamina C (ácido ascórbico) en gotas una vez al día.

Causas de enfermedad

■ Las enfermedades más frecuentes en los conejillos de Indias se deben a una mala alimentación. La falta de buen heno puede hacer que el animal se arranque el pelo, que mueran los jóvenes, puede causar pérdida de vivacidad, crecimiento excesivo de los dientes con las consiguientes dificultades para comer, y automutilaciones. Las dietas mal equilibradas provocan enfermedades óseas. Las verduras mohosas dañan gravemente al hígado, causan enteritis y provocan la muerte.

■ Si muere un animal de un grupo, conviene llevarlo al veterinario. Un diagnóstico post mortem adecuado te permitirá actuar en consecuencia, quizá añadiendo algún medicamento al agua o alimento, para proteger a los demás.

Hámsters

Los hámsters son más resistentes que otros roedores en domesticidad, pero presentan problemas específicos.

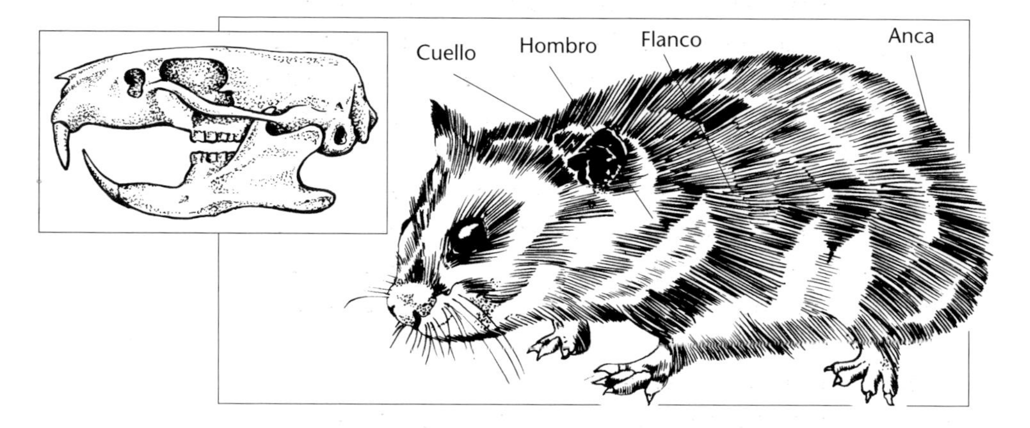

■ La boca

■ **Los problemas dentales** son como los de los conejos (ver pág. 106). El crecimiento excesivo de los dientes, debido por lo general a una dieta que no precisa masticación, requiere que el veterinario recorte y lime los dientes. Darle demasiadas "golosinas" y comidas caseras puede originarle caries (como en los niños).

■ **Los dulces pegajosos,** como tofés, pueden pegársele a los abazones que suelen tener un recubrimiento seco. El veterinario limpiará los abazones.

■ Trastornos digestivos

La diarrea puede obedecer a distintos gérmenes y otros factores.

■ Un riesgo constante de los hámsters es la contaminación de su comida o lecho por gérmenes del grupo tan extendido de la Salmonella. La fuente más frecuente de esos gérmenes son los excrementos de ratones o ratas de campo. Los síntomas pueden ser confusos: pérdida de vivacidad, de apetito y diarrea. La muerte sobreviene rápidamente. Solamente puede salvar al hámster el tratamiento urgente del veterinario que le inyectará una pequeña cantidad de un antibiótico especial. Se cree que algunos antibióticos son tóxicos para el hámster, como la penicilina, la estreptomicina, la lincomicina y la eritromicina.

■ "Cola húmeda"

Es sin duda la peor enfermedad de los hámsters. Se trata de una diarrea persistente y debilitante debida a una afección gastrointestinal cuyas causas parecen complejas. Se ha culpado en distintos momentos a un exceso de grasa en la dieta, a carencia de vitaminas (sobre todo del grupo B), al estrés y a varias clases de bacterias.

Tratamiento. Consiste en mejorar los hábitos alimentarios y las condiciones de vida del hámster, en añadir un poco de levadura a su comida y, si lo aconseja el veterinario, en poner un antibiótico, como neomicina soluble, en el agua del bebedero.

■ Enfermedad de Tyzzer

Puede afectar también a los hámsters (ver conejos, pág. 107).

■ Estreñimiento

Se suele observar sobre todo en los cachorros que empiezan a destetarse y que sólo disponen de comida seca. Deben tener siempre agua a su alcance. Los hámsters estreñidos se muestran abatidos, se les hincha la tripa y a veces presentan abultamiento del ano. Utiliza enemas de "Micralax" y dales papillas de leche, verdura fresca y fruta blanda.

■ Tos, estornudos y moqueo

Los amos pueden contagiar a los hámsters algunos virus de garganta, por lo que habrá que procurar no acercarse a ellos cuando se esté resfriado. Las infecciones víricas contagiadas por los humanos pueden degenerar en neumonía con resultados fatales.

Tratamiento. Los estornudos, moqueo y hocico irritado en el hámster son síntomas de una infección respiratoria. Al igual que para los humanos, a veces basta con reposo, calor, limpieza de mucosidad, suplementos vitamínicos, etc. En casos más graves, el veterinario recetará un antibiótico para prevenir infecciones secundarias potencialmente peligrosas por bacterias como la Pasteurella.

■ Enfermedades de la piel

Pueden deberse a hongos (tiña), ácaros (sarna), picaduras infectadas o degeneración senil. Con frecuencia se piensa que dos manchas de pelo oscuro y duro, una en cada anca, se deben a una afección de la piel. En realidad esas manchas, más evidentes en los machos, son normales e indican la ubicación de unas glándulas especiales que desempeñan un papel en la atracción sexual (los hámsters de campo buscan a sus parejas guiándose por el olfato) y que sirven posiblemente también para marcar el territorio.

Diagnóstico y tratamiento. El veterinario diagnosticará el tipo de afección, a veces valiéndose de análisis sobre muestras de piel o pelo, y recetará el tratamiento específico.

Otras enfermedades

■ La "parálisis de la jaula": el hámster parece tener las patas débiles, debido a la falta de espacio y ejercicio. Debes proporcionarle rápidamente ambas cosas e instalarle una rueda de ejercicio.

■ La toxemia de gestación: se puede presentar lo mismo que las cobayas (ver pág. 116).

■ La diabetes de origen hereditario: la suele detectar el veterinario en animales que beben mucho. El animal puede perder mucho peso o, por el contrario, estar obeso.

■ Los tumores, sobre todo los inoperables de la glándula suprarrenal, se dan en el cincuenta por ciento de los hámsters de más de dos años.

Nota: Además de los antibióticos antes mencionados, otros productos son tóxicos para los hámsters. Entre ellos el DDT y los compuestos organofosforados (utilizados en ciertos insecticidas y parasiticidas).

Jerbos

Problemas de los dientes

Como en el caso de las otras pequeñas mascotas, a veces hay que recortar los incisivos delanteros si crecen excesivamente. La causa de ese crecimiento es una deformidad en la estructura de la boca o, sobre todo, no tener nada que roer en la jaula.

Diarrea

La "cola húmeda" y la salmonelosis le afectan igual que al hámster (ver pág. 118). Las causas y tratamiento son los mismos. La enfermedad más grave de los jerbos que a veces, no siempre, causa diarrea, abatimiento, falta de apetito y pérdida de peso, es la enfermedad de Tyzzer (ver conejos, pág. 107). A veces les afecta tanto que aparecen muertos sin más. Es una enfermedad mortal (mueren a los dos días de presentar los síntomas) en el setenta por ciento de los casos. El tratamiento es difícil y es fundamental la rápida intervención del veterinario, una terapia fluida, cuidados y administración de antibióticos como oxitetraciclina y neomicina.

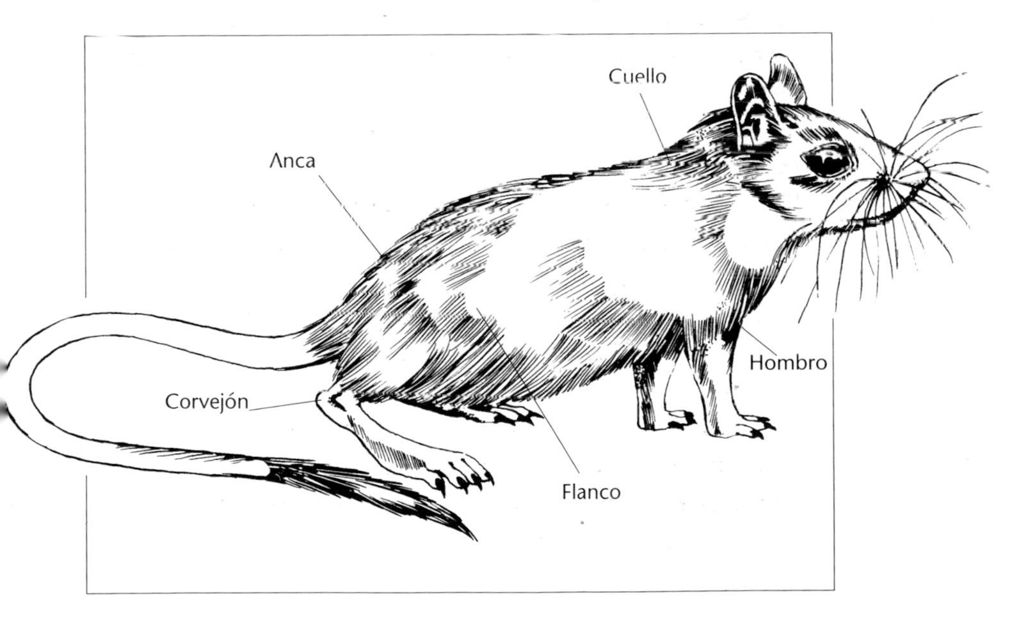

La diarrea en los jerbos suele ser resultado de una mala alimentación, de comida estropeada o pasada, o de un exceso de verduras mojadas. Para evitarlo, asegúrate de alimentar correctamente al jerbo (ver pág. 77 sobre indicaciones básicas para una dieta equilibrada).

■ "Resfriados"

Estornudos, moqueo y ojos irritados suelen deberse a la presencia de bacterias estreptocócicas contagiadas por los niños. El mejor tratamiento son los antibióticos.

■ Enfermedades de la piel

Igual que los conejos (ver pág. 109).

■ Otras enfermedades

■ Glándulas sebáceas infectadas

A veces se infecta y se inflama la gran glándula sebácea que tienen los jerbos bajo la tripa. El veterinario recetará una pomada de antibióticos/corticosteroides para aplicarla sobre la zona afectada.

■ **Los tumores,** algunos de ellos operables, son frecuentes en los jerbos. Los órganos que con más frecuencia se ven afectados por tumores son los ovarios y el útero.

■ **Nota:** Algunos antibióticos de espectro "estrecho", como la penicilina y la estreptomicina, pueden provocar en el jerbo efectos secundarios peligrosos. El veterinario sólo recetará para ellos antibióticos de amplio espectro como cloranfenicol, tetraciclinas y cefalosporinas.

Ratas y ratones

Si tus mascotas tienen la jaula bien limpia, disponen de comida completa y de agua limpia, rara vez enfermarán. Los roedores pueden verse afectados por gran número de dolencias, pero éstas son más frecuentes en las grandes colonias que mantienen los laboratorios. Si tu mascota enferma, llévala al veterinario. Le podrá administrar inyecciones diminutas o recetar algún medicamento para añadir al agua del bebedero.

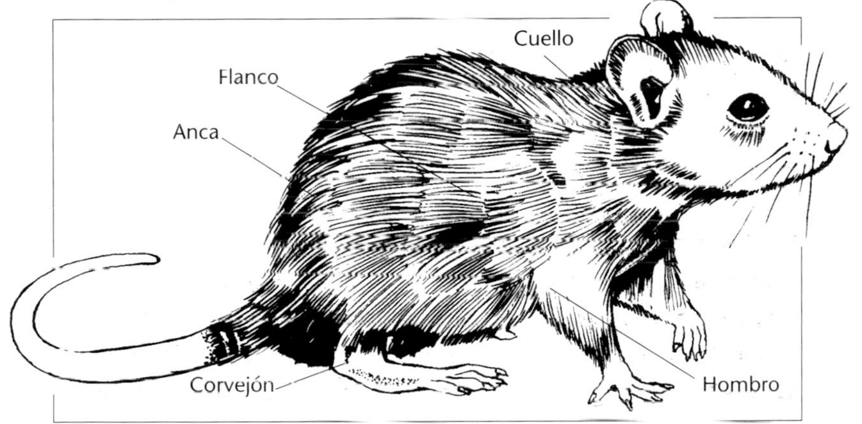

■ Afecciones de los dientes

Como en el caso de los otros pequeños roedores, el excesivo crecimiento de los incisivos puede provocar falta de apetito y pérdida de peso. Si así ocurre, puede recortarle con cuidado los dientes con un cortaúñas.

■ Dolencias de estómago

Todas las causas descritas para conejos y otros roedores pueden provocar diarrea y trastornos digestivos en ratas y ratones, incluida la enfermedad de Tyzzer.

■ **Los parásitos intestinales,** planos o redondos, suelen causar diarrea, pérdida de vitalidad y de peso y, con menor frecuencia, prolapso del recto. La presencia de lombrices se confirma fácilmente con análisis de los excrementos, y el tratamiento consiste en la administración de medicamentos adecuados como mebendazol en el agua o alimentos.

Los primeros auxilios en caso de diarrea consisten en administrar Kaopectato en suspensión (se compra en farmacias sin receta). La dosis es de 0,5 ml diarios para una rata y de 0,1 ml diarios para un ratón, divididos en dos dosis que se administran oralmente con un cuentagotas ocular o una jeringuilla.

■ Enfermedades torácicas

"Resfriados", respiración pesada, lagrimeo y moqueo, acompañados con frecuencia de pérdida de apetito y abatimiento, son síntomas de una enfermedad torácica –probablemente la afección más frecuente en ratas y ratones–. Aunque los agentes causantes suelen ser varios tipos de virus y bacterias, también influyen otros factores, como una jaula en malas condiciones, falta de higiene y superpoblación, que predisponen al animal al ataque de los gérmenes. Se puede utilizar como tratamiento un antibiótico añadido al agua del bebedero, pero lo fundamental es prevenir las enfermedades manteniendo la jaula en buenas condiciones.

■ Enfermedades de la piel

Las afecciones de la piel son las mismas descritas para el conejo (pág. 109) y otras mascotas pequeñas.

■ **Los abcesos en la piel** causados por mordeduras son frecuentes: procura no poner juntos a los machos de rata porque pelearían.

■ Otros trastornos

Los trastornos del sistema nervioso son frecuentes en ratas y ratones pero no tienen tratamiento y solamente tienen interés científico. Algunos antibióticos, como la penicilina y la estreptomicina, pueden ser tóxicos para ratas y ratones. El veterinario dispone de otros que no son dañinos.

■ A veces se observan en estos animales tumores de mama. En las ratas suelen ser benignos mientras que en los ratones tienden a ser malignos. El veterinario puede operarlos, bajo anestesia general, para extirpar los que sean benignos.

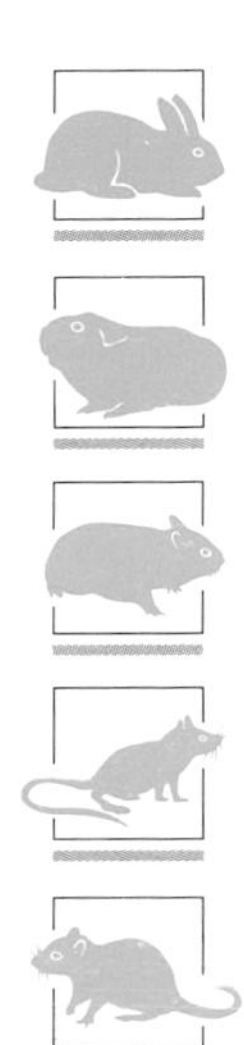

Primeros auxilios de las mascotas

Las pequeñas mascotas necesitan casi siempre atención del experto cuando enferman o se lesionan. Las enfermedades pueden evolucionar muy rápidamente, a veces con resultado de muerte, y no debes perder tiempo con remedios caseros y experimentos. En general, los amos pueden hacer mucho menos por un animal pequeño enfermo que por uno grande, como un perro o un gato. Acude sin demora al veterinario para que diagnostique y recete a tu mascota.

Fracturas

Cuando sospeches que se pueda haber producido una fractura por un golpe o una caída, no trates de entablillar la pata del animal con cerillas o similar. Manipular una patita delicada puede causar daños graves a los finos nervios y vasos sanguíneos. Levanta al animal por la piel del cuello (ver págs. 41-43), envuélvelo en un tejido mullido, manténlo calentito y llévalo inmediatamente al veterinario. Puede ser beneficioso darle con cuentagotas algo de agua templada y endulzada para evitar la deshidratación, pero no le des nada de comer –quizá haya que anestesiarlo–.

Pequeños cortes y heridas

Puedes lavarlos con agua templada y un antiséptico muy suave, y luego secarlos. Puedes aplicar una pequeñísima cantidad de crema antibiótica o antiséptica a la herida o corte. En cambio deberás evitar los polvos en las partes con pelo porque se apelmazarían.

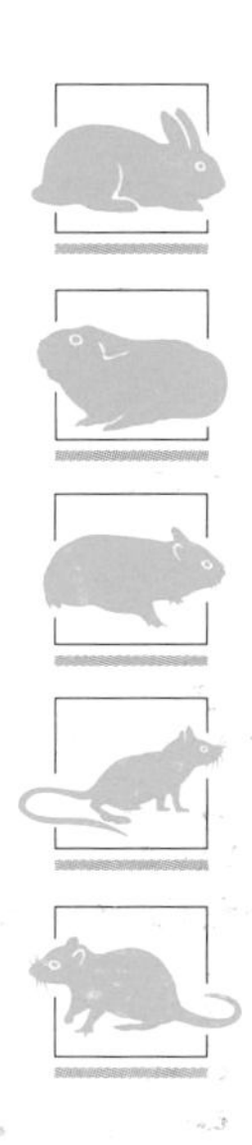

Vacaciones

¿Qué hacer cuando te vas de vacaciones? Naturalmente NI SE TE OCURRA amontonar gran cantidad de alimento y de agua en la jaula del animal esperando que él se administre e incluso le quede algo cuando vuelvas tú, bronceado y cargado de recuerdos.

■ Lo mejor es que consigas que un amigo vaya a tu casa al menos una vez a la semana para dar comida y agua a las mascotas y limpiarles la jaula.

■ Deja instrucciones por escrito, porque las orales se olvidan fácilmente.

■ Otra solución es trasladar a la mascota, con su jaula y todo, a casa de un amigo o a una tienda de mascotas, una residencia para mascotas (las de perros a veces las admiten), una clínica de la Sociedad Protectora de Animales o un veterinario.

■ De nuevo, escribe la dieta habitual de la mascota y añade uno o dos paquetes de su marca de comida, para que no sufra trastornos digestivos. Incluso los ratones están expuestos a "diarreas del viajero".

Resumen

Y así hemos llegado al final de este pequeño manual de instrucciones para mascotas pequeñas. Buena suerte con tus animalitos, pero, por favor, si no eres capaz de dedicar tiempo y cuidados al servicio y mantenimiento de un animal, dedícate a los trenes eléctricos o a otro pasatiempo. ¡En este club sólo admitimos amos buenos!

Índice